UN SI BEL AVENIR

VÉRONIQUE Olmi

UN SI BEL AVENIR

ROMAN

pour Julia

Il faisait froid dans le hall du théâtre. Personne ne semblait s'en soucier. De quoi se souciait-on ? D'être heureux. De le croire. De le paraître. Élisabeth, en tout cas, en avait le désir. C'était la première de *L'École des femmes* mise en scène par Pascal et elle était heureuse pour lui. Le théâtre était plein, les applaudissements avaient été chaleureux, elle avait compté quatre rappels – bien sûr les copains remplissaient la moitié de la salle et personne n'était dupe : on encourageait sur le moment, on critiquerait un peu plus tard.

C'était presque agréable d'être tous ensemble dans ce froid et de ne pas le sentir. De se tenir proches les uns des autres, la tête légère de ceux qui n'ont pas encore dîné mais boivent avec ferveur du vin blanc dans des verres en plastique. On fumait beaucoup aussi. On pouvait le faire. La loi bonne pour les halls de gare, les stations de métro et les administrations n'avait pas lieu d'être ici. Ici on était presque en famille. Presque.

Élisabeth aperçut Boris Angelli. Il discutait avec une jeune femme brune et l'administrateur du théâtre, mais comme toutes les personnes présentes ce soir-là, il suivait une conversation tout en jetant des coups d'œil curieux par-dessus l'épaule de son interlocuteur et son regard croisa celui de la jeune femme. Personne ne s'écoutait vraiment, tout le monde se cherchait, cherchait à se reconnaître, à en connaître le plus possible, on était entre amis, gens du métier, et les autres, les « payants » étaient rentrés chez eux sitôt la représentation terminée, comme ces enfants que les adultes envoient au lit avant de s'amuser vraiment.

Boris fit un signe à Élisabeth qui s'avança en souriant comme si elle avait été la maîtresse des lieux. Elle ne l'avait pas revu depuis quatre ans, depuis qu'ils avaient joué ensemble *Le Retour*, de Pinter. Elle le trouva un peu grossi, moins séducteur, et alors qu'elle calculait son âge, elle réalisa qu'il devait lui aussi la trouver changée... ils avaient la quarantaine, les doutes remplaçaient l'insouciance, et cela se voyait. Ils avaient été heureux ensemble, sur la pièce de Pinter. Boris avait beaucoup tourné depuis, Élisabeth, à l'inverse, avait peu quitté Paris pour s'occuper de ses filles et ils ne s'étaient pas revus. Ils se souriaient maintenant avec le même désir de s'étreindre que s'ils venaient de sortir de scène à l'instant, le besoin de se sentir, se toucher et se savoir aimés. Un signe de reconnaissance.

— Tu es magnifique ! lui dit Boris comme si elle s'était préparée pour lui. J'espérais tellement te voir ce soir ! Clara..., ajouta-t-il en désignant à Élisabeth la jeune femme qui l'accompagnait.

Élisabeth avait souvent entendu Boris parler de Clara avec un respect ébloui. Elle comprenait maintenant pourquoi. Clara était ce qu'on appelle une beauté. Elle n'était pas grande mais bien faite, ses seins surtout, ronds, pleins, tendus, attiraient en premier le regard. Élisabeth pensa que ça devait être fascinant de porter cette poitrine-là toute sa vie, et de fait, Clara avait l'air si bien dans sa peau, une peau brune qui s'accordait au noir de ses yeux et soulignait ses dents blanches, sa bouche sensuelle – un peu trop maquillée cependant. Élisabeth lui serra la main, une main chaude, pleine de bagues, qui en s'agitant fit tinter une dizaine de bracelets en or, puis, très vite, elle se tourna vers Boris :

— Alors ? Que penses-tu de la mise en scène ?

Et devant son silence elle ajouta en éclatant de rire et en priant le ciel qu'il lui réponde avec la même légèreté : Tu n'as pas peur ?

Bien sûr que Boris avait peur. Pascal devait le mettre en scène dans *Dom Juan* et ce qu'il avait vu ce soir avait de quoi le déstabiliser. Il hésita un instant, il savait qu'il ne devait pas se montrer sincère mais rassurant, un peu neutre, avec le ton de celui qui a besoin de temps pour analyser plus en profondeur le travail scénique.

— C'est un spectacle très original… – et plus bas, comme s'il voulait réellement s'en convaincre : Très original…

Clara sentit sa gêne :

— Je vous ai beaucoup aimée dans *Le Retour*, je n'avais pas pu rester après la représentation, mais je suis contente de pouvoir vous le dire ce soir. Votre couple avec Boris fonctionnait très bien.

— Oui, dit Boris, soulagé de changer de sujet, c'est dommage que la pièce n'ait pas mieux marché, les critiques n'y ont rien compris. Qu'est-ce que tu fais en ce moment ?

Élisabeth savait que cette question allait revenir souvent ce soir dans les conversations. Ce qu'elle faisait ? Elle vivait, peut-être… Sûrement. Elle avait été bouleversée par le dernier film de Polanski, elle lisait chaque soir un poème de René Char, elle avait senti en parlant avec Camille, son aînée, ce que serait leur complicité de femmes, elle avait réussi son premier couscous royal et ils avaient été si bien ce soir-là tous les quatre ensemble, Pascal, les filles et elle... Indicible. Personnel. Futile ? Elle sourit comme une femme comblée :

— J'ai de beaux projets, mais je suis trop superstitieuse pour en parler.

Elle s'en sortait bien. Pouvait-elle avouer qu'elle était sur le point de prendre rendez-vous avec une voyante pour savoir si les affaires allaient redémarrer, qu'elle hésitait à changer d'agent (« mais ma chérie, changer d'agent dans Paris c'est comme changer de transat sur le *Titanic* », lui avait dit Pascal en riant de sa bonne blague), qu'elle ordonnait parfois au téléphone de sonner, persuadée que la télépathie allait fonctionner, et qu'elle avait mal au ventre chaque fois qu'elle lisait les noms des copains sur une nouvelle affiche dans le métro ou sur les colonnes Morris ? Pourtant, cela ne faisait pas si longtemps qu'elle n'avait pas travaillé. Quatre mois seulement. Quatre mois et demi. Presque cinq. Et elle avait refusé des projets. Les rôles de femme étaient si misogynes, pleins de mépris et d'idées reçues, cela la mettait dans des colères folles, elle déchirait les manuscrits, parfois elle les brûlait dans l'évier, mais les projets se montaient sans elle, il y avait tant d'actrices de son âge, tant de filles pour la remplacer. Un refus de sa part ne signifiait rien de plus que son nom barré sur une longue liste de comédiennes répertoriées pour le rôle, et la rancune de son agent qui lui reprochait son manque de discernement. Elle savait qu'elle méritait mieux que cela. Qu'elle ne devait pas se laisser abîmer, abîmer l'enthousiasme et l'idée qu'elle se faisait d'elle-même et de son métier. « Un peu d'orgueil..., se répétait-elle souvent. Un peu d'orgueil pour ne pas tomber. »

— Bonsoir !

France Meynard les avait rejoints et tendait à Clara une main vigoureuse et franche, impossible à refuser.

— Bonsoir…, répondit-elle simplement. Elle lui serra la main, les bracelets tintèrent et le silence s'installa. Les halls de théâtre ont horreur des silences les soirs de première. Les silences y sont meurtriers. Les silences y sont des aveux. Mais la jeune comédienne attendait un compliment, elle venait de jouer Agnès pour la première fois. Élisabeth combla le vide :

— Pas trop épuisée, France ?

— Pourquoi ? Ça donne la pêche des rôles si forts.

Ils se regardèrent, un peu gênés, indécis, et l'administrateur, jusque-là silencieux, se pencha vers Elisabeth :

— Il faut que je vous parle.

Il la prit par le bras, la tira à l'écart. Elle serait une fois de plus l'intermédiaire calme et posée, capable de faire face aux colères de son mari et d'arranger ses relations avec l'administration du théâtre. Elle se plaisait dans ce rôle.

— J'aime beaucoup votre émission, dit France à Clara. Dommage qu'elle ne passe pas à la télé, c'est vraiment injuste.

— Vous m'excusez, dit Boris aussitôt, un ami à saluer. Il s'éloigna en faisant un grand signe joyeux et les deux femmes restèrent face à face.

— C'est une émission radio, il n'y a rien d'injuste à ce qu'elle ne passe pas à la télévision, trancha Clara, et un peu hautaine soudain : Il faut une grande maturité pour jouer l'innocence d'Agnès, c'est le paradoxe du théâtre, non ? C'est votre premier rôle, je crois ?

— Je viens du cinéma. Enfin… j'ai fait pas mal de pubs… j'ai beaucoup appris… l'important c'est d'apprendre, tout le temps, d'être à l'affût... enfin c'est ce que je pense... c'est comme ça que je le ressens... ouais... comme ça...

Clara décida que cela suffisait. Où était Boris ? Il avait sa cour : un groupe de comédiens qui buvaient ses paroles, s'esclaffaient aux bons moments, l'admiraient ouvertement. Elle l'envia. Il s'en tirait toujours bien.

France fit un signe désespéré en direction de l'attaché de presse du théâtre, mais il ne reconnut pas Clara Mercier, la journaliste incontournable, et préféra s'envoyer son sixième verre de vin blanc avec les éclairagistes, bien plus drôles au demeurant que cette actrice qui pleurait en répétition avant d'offrir des caramels à toute l'équipe pour s'excuser.

— Un instant..., dit Clara à France. Et elle la planta là, avec son sourire figé dans l'innocence et son regard faussement étonné.

Elle se dirigea vers Boris, droit vers Boris, sans regarder autour d'elle afin de ne saluer personne et de rentrer au plus vite se coucher. Il faisait froid dans ce théâtre, elle s'en rendait compte maintenant et ne le supportait plus. Quelque chose en elle venait de se briser, cet élan, cette insouciance qui aide à supporter certaines soirées, à voir plus loin que les masques affichés du bonheur, cette reconnaissance guettée dans le regard des autres, une panique camouflée.

Assis à l'arrière du taxi, Boris avait passé son bras autour des épaules de Clara, dans un geste protecteur et familier. Il la sentait à cran.

— Ne t'en fais pas pour moi, je suis sûr que tout se passera bien.

Elle eut un petit rire nerveux, qui la fit grimacer.

— Clara ! Ce n'est pas mon premier rôle, je ne me laisserai pas manipuler comme cette fille… comment elle s'appelle, déjà… Marianne…

— France, elle s'appelle France Meynard. Quand je pense que Charles Martin a accepté de jouer Arnolphe avec une fausse barbe et un turban ! Je n'ai pas osé le saluer… j'étais… cette soirée était un piège… On a tous été piégés. Ne travaille pas avec ce type, tu seras malheureux.

— Ça fait quinze ans que je rêve de jouer *Dom Juan*, tu le sais, non ?

— Et toi, tu savais qu'il avait transposé la pièce en Afghanistan ?

— Non. Et je m'en fous. Pourquoi tu ne veux pas dormir chez moi cette nuit ?

— J'ai mes règles. Je suis fatiguée.

— On m'a livré du sauternes, je t'attendais pour le goûter.

— Je vois Emmanuel très tôt demain matin et j'ai envie d'être seule. Agnès en tchador ! Mais qu'est-ce qu'il espère, ce con, des débats dans les banlieues ?

— Et si je venais chez toi ?

Elle ne répondit pas. Elle regardait les lumières de Paris qui rendaient la ville si intime, presque à portée de main. Tant de gens assoupis dans la grande ville, tant de rêves au même instant, de désirs sans limites et d'images folles libérées par un nombre infini de dormeurs, tandis que Paris se tenait debout, dans ses lumières.

— Ne sois pas triste...

Il s'en voulait de faire si peu pour elle. Il s'en voulait d'être incapable de l'apaiser, de ne pas avoir ce pouvoir-là. Ses crises de cafard subites, sa hantise de la folie (dont il ne connaissait ni l'origine ni la véritable profondeur) étaient une énigme qu'il ne désirait pas vraiment résoudre, et de cela aussi il s'en voulait. Un peu.

— Je t'aime, lui dit-il en lui caressant la nuque.

— Oh non, Boris, pas toi !

Il n'était pas question d'amour, ils le savaient depuis le début. Ils se tenaient. Ils ne s'aimaient pas. Parfois cela simplifiait les choses. Ils ne parlaient pas de l'avenir. Ils ne se promettaient rien.

— J'ai envie de dormir avec toi, lui murmura-t-il, conscient que le chauffeur les écoutait attentivement. Pour n'avoir rien à répondre elle lui serra la main. Elle était douce. Il avait envie d'elle, règles ou pas, il s'en fichait, quand est-ce qu'elle l'admettrait ?

— Regarde ! Tu l'as vu ?

Il dégagea sa main.

— Pourquoi est-ce que tu ne les vois jamais ?

— Parce que ça ne change rien, Clara, de les voir ou pas.

— Ne parle pas comme ça, tu me dégoûtes. La caricature du comédien égoïste et insupportable ! Bientôt tu vas me dire que tu ne vois pas ces types dans les cartons parce que tu te protèges pour jouer.

— Mais c'est ça. C'est exactement ça. C'est surprenant comme tu me connais bien.

Comme Clara avait hâte d'être seule. Hâte de ne plus parler, de ne plus être regardée, attendue, sollicitée. Dormir. Simplement. Mais il la guettait et elle lui sourit, il y avait quelque chose de si juvénile dans cette attente.

— Je suis bien contente que tu dormes tout seul ce soir, comme un vieux garçon. Le fin du fin serait que tu t'endormes devant un mauvais porno.

— Je vous laisse là ? demanda le chauffeur.

Ils étaient arrivés rue Losserand où habitait Clara. Boris lui lança un regard interrogateur qui cachait mal sa déception.

— Je t'appelle demain.

— Vas-y vite, je vais louper le début du film…

Doucement, presque avec sérieux, elle prit la tête de Boris dans ses mains et posa ses lèvres sur les siennes. Sa langue remuait à peine, elle était douce et chaude, elle caressait la bouche de Boris qui sentait la cigarette et le vin, un goût rassurant. Il eut l'impression qu'elle lui transmettait un peu de sa tristesse et de son mal de vivre. Elle se détacha de lui et passa lentement sa main sur son visage, comme elle le faisait toujours pour lui souhaiter bonne nuit.

— Bonne nuit…, chuchota-t-elle, et lorsque la portière claqua derrière elle, il sembla à Boris que cela était d'une violence inouïe.

— Rue Blanche, alors ? demanda le chauffeur.

— Oui, rue Blanche.

— Vous avez un itinéraire préféré ?

— Non. Je n'ai pas d'itinéraire préféré – et au même instant il remarqua un homme endormi dans une cabine téléphonique, le corps plié en trois, cassé – à moins que ce ne soit une femme. Il en voulut aussitôt à Clara. Il rêvait parfois de rencontrer une fille insouciante et gaie, moins belle que Clara bien sûr, sans cette beauté cruelle, cette forteresse derrière laquelle elle s'était retranchée.

Il faisait trop chaud dans la voiture. Élisabeth ôta son manteau et aussi ses chaussures neuves qui lui avaient fait mal toute la soirée.

— Quatre rappels, c'est pas mal, dit-elle en se massant vigoureusement les orteils.

— Tu parles, il y avait plus de claque qu'à un meeting politique !

Pascal était d'une humeur massacrante, comme après chaque première. Tandis que les acteurs jouaient, il se sentait trahi, mis sur la touche, et il se faisait violence pour ne pas bondir sur scène et corriger leur jeu. Élisabeth avait l'habitude de ces soirs-là, l'habitude de le rassurer, mais cette fois-ci c'était différent. Le spectacle n'était vraiment pas bon. France Meynard minaudait, jouait les mots, et son tchador rajoutait au ridicule de son jeu. Pourquoi avoir engagé cette fille qui confondait stupidité et fraîcheur, niaiserie et innocence ?

— La petite…, osa-t-elle.

— Quelle petite ?

La conversation était impossible. De toute évidence Pascal était conscient du ratage, mieux valait laisser passer l'orage.

Il y avait des travaux sur le périphérique, on roulait sur deux voies, lentement, par à-coups, pris dans une longue file de phares rouges qui n'étaient agréables à voir qu'en photo.

— D'où ils viennent tous ces cons ? Pascal tapotait nerveusement son volant. Ne me dis pas qu'ils sortent tous des théâtres, ça serait trop beau !

Élisabeth regarda au-dehors. Des jeunes Maghrébins, six au moins, remplissaient une toute petite voiture sur la file d'à côté. Ils écoutaient sans doute de la musique très fort, certains battaient la mesure, d'autres gueulaient à tue-tête... ils avaient l'air de s'amuser...

— J'ai vu que tu parlais avec Boris Angelli.

— Hum...

Elle n'avait plus envie de faire d'efforts. Elle s'était défaite de cette soirée en même temps que de ses chaussures. Elle avait été aimable, disponible, elle avait fait des compliments et de fausses confidences, elle avait écouté avec un intérêt tout professionnel les récriminations de l'administrateur à propos du budget pub, maintenant elle laissait tomber.

— Qu'est-ce qu'il t'a dit, Angelli ?

— Il a aimé.

— Non, parce qu'à moi, il a pas parlé. Qu'est-ce qu'il t'a dit, exactement ?

Les Maghrébins s'intéressaient à Élisabeth, ils riaient entre eux en lui faisant signe de les rejoindre.

— Il a dit qu'il avait aimé... voilà... qu'il avait hâte de jouer *Dom Juan*... et puis il est parti très vite, tu as bien vu, le temps que je parle avec l'administrateur, il avait disparu.

Elle regarda cette file interminable de voitures, ces noctambules piégés pour qui la soirée se terminait en cauchemar, et ces immeubles sinistres qui bordaient le périphérique, elle se demanda combien d'enfants seraient réveillés par le bruit, combien d'enfants vivaient derrière cet embouteillage, combien de temps on pouvait tenir comme ça, à grandir en respirant le périphérique.

— Ils pourraient pas faire les travaux l'été, ces cons ? Et l'autre, là, qui essaye de me doubler ! Pascal klaxonna, comme on donne une gifle, brièvement, en serrant les dents.

Élisabeth alluma la radio. Un inconnu se confiait à Macha Béranger. Macha le reconnaissait, il avait appelé trois ans plus tôt, elle se souvenait bien de lui, sa fiancée l'avait quitté quand il avait été licencié, oui, oui, c'était cela, mais maintenant le type avait retrouvé du travail, il était gardien de nuit à la Défense, mais il était toujours tout seul, c'est pour ça qu'il appelait Macha, Macha lui disait : « Ça va s'arranger Patrick » et déjà le type y croyait, alors Macha passa un disque, c'était du Nat King Cole et c'était parfait pour la nuit. Qui connaissait mieux la nuit que Nat King Cole ? Comment avait-il compris qu'on avait besoin de cette douceur et de cette tendresse-là, de ces mélodies lentes qu'il semblait chanter en souriant à demi ? Élisabeth ferma les yeux, la musique prenait toute la place, chassait les immeubles, les voitures, chassait la mauvaise humeur de Pascal et la chaleur étouffante, la musique était une main fraîche posée sur son front, mais soudain elle éteignit la radio, Nat King Cole mourut subitement, elle chercha son portable dans son sac, il fallait prévenir Marion qu'ils rentreraient plus tard que prévu, qu'ils étaient coincés sur le périph. La baby-sitter s'était endormie, le téléphone la réveilla. Quelle idiote ! pensa Élisabeth. Je suis toujours à côté de la plaque…

— Tu les as trouvés chaleureux ou polis, les rappels ? Non, parce que c'est quand même un spectacle dérangeant, on fera pas l'unanimité. Tiens ! On revient à trois voies. C'est une mise en scène qui va créer la polémique. Enfin ! On sort de ce putain d'embouteillage ! Ah ! je voulais te dire : je t'ai trouvée très jolie ce soir.

Il était quatre heures du matin. Élisabeth était réveillée. Elle goûtait leur sommeil à tous les trois. Pascal et les filles dormaient et c'était une chose juste, presque une récompense. Le silence de l'appartement, la pénombre dans les chambres, la promiscuité des corps abandonnés, tout cela était un apaisement. Elle écoutait vivre les siens, ils étaient ensemble, à l'abri sous le même toit, et tout le reste passerait : l'enthousiasme d'une soirée, le trac d'une première, les copains que l'on retrouve, tout s'évanouirait, et lorsqu'elle serait vieille elle ne se rappellerait que cela : le sommeil des êtres aimés, à ses côtés.

Elle savait quelle nuit privilégiée elle vivait. Dans quelques années ses filles sortiraient le soir et alors elle ferait comme sa mère l'avait fait avant elle : elle guetterait. Le bruit des voitures dans la rue, les talons, les éclats de voix, et malgré elle elle aurait peur et ne serait rassurée que lorsque la porte s'ouvrirait sur ses enfants, s'ouvrirait et se fermerait pour les réunir enfin. Cette nuit les filles avaient cinq et sept ans. Cette nuit Élisabeth était bien. Et il ne fallait rien oser de plus.

Elle se leva. Ces trois êtres endormis, elle avait soudain envie de les toucher, de les prendre violemment dans ses bras. L'amour inquiet est le pire qui soit, elle le savait. Elle s'agenouilla auprès de Pascal et le regarda dormir. Est-ce que c'était naturel d'aimer cet homme-là ? Est-ce qu'il était aimable ?

— Pascal…

Elle lui secoua doucement l'épaule. Il se retourna en agrippant la couette. Elle ne voyait plus que son dos. Il s'était retourné parce qu'elle l'avait appelé. Il ne l'aurait pas fait si elle avait pris son sexe dans sa bouche. Il n'aurait pas dit non à une pipe comme il lui disait non à elle. Peut-être qu'il faut faire une pipe après avoir été jolie une soirée entière – l'agréable femme du désagréable metteur en scène, peut-être que c'était cela le but du compliment.

Elle se recoucha, posa la main sur le sexe de l'homme endormi. Le sexe était rabougri et froid. Une offense. Elle s'allongea sur le dos, un bras replié sur son visage, l'autre sous sa tête. Elle pensa à Boris Angelli, à Clara Mercier sa compagne, qui devait être jolie tous les soirs, alors à quoi bon le lui dire – et pour la fellation le code devait être : « Tu étais spécialement jolie ce soir. » Non. Ce n'était sûrement pas comme ça. Ce n'était pas ce que cette femme attendait. Ce n'était pas comme cela que Boris devait lui parler.

Une alarme se déclencha dans la rue. Encore une voiture qui allait meugler dans la nuit, toujours la même voiture un soir sur deux et jamais son propriétaire ne descendait l'arrêter, quel sale type nuisible, quel con ! Elle l'imaginait sa bagnole, sapin parfumeur, enceintes géantes et autocollants de Center Parc.

Voilà, pensa Élisabeth, frustration sexuelle, fureur reportée sur la voiture du voisin. Banal. Lamentable. La misère.

— Pascal…

Elle alluma la lumière, s'assit sur le lit. Pascal ouvrit les yeux, à peine, de loin, un petit regard suspicieux à cette femme qui le fixait avec une détermination inquiète.

— C'est raté. Le spectacle est raté, tu vas faire un four.

Son regard s'agrandit, il n'en revenait pas. Elle non plus. La vérité avait jailli malgré elle et Pascal la regardait comme une incongruité, une étrangeté à ses côtés. Maintenant qu'elle s'était lâchée elle ne pouvait plus faire marche arrière. S'il ne lui avait pas tourné le dos tout à l'heure, il aurait joui dans sa bouche et ils auraient été satisfaits. Mais il lui avait tourné le dos et l'alarme du voisin avait sonné.

— Ta mise en scène est opportuniste, sans conviction et sans grâce.

Il regardait sa femme. Il la regardait et il la trouvait jalouse. Pâle, cernée, et jalouse.

— Dors, tu as une mine pas possible.

Et une fois encore, il lui tourna le dos. Il pouvait se détourner d'elle si vite. Se rendormir si vite… Mais elle savait que le lendemain il lui en voudrait.

L'alarme se tut soudain.

Elle éteignit la lumière.

Ils étaient tous les quatre ensemble, une famille la nuit, mais leur repos était suspect, leur sommeil renfermait des mensonges.

Elle ferma les yeux.

— Monsieur m'inquiète. Non, mais il m'inquiète vraiment, tu sais... Qu'il saute un repas, ma foi, à son âge... Mais qu'il n'ait même plus de curiosité pour ce que je lui prépare... Qu'est-ce que tu en dis, hein ? Qu'est-ce que tu penses de ça, Maurice ?

Boris n'y arrivait pas. N'arrivait pas à être dans ce petit deux-pièces de la place Clichy, avec cette vieille dame soucieuse qui lui avait préparé des farcis et s'alarmait inutilement pour son compagnon. Irène. Sa grand-mère. Son immuable grand-mère. Elle ne changeait pas. D'ailleurs, il l'avait toujours connue vieille. Petit, déjà, elle lui semblait âgée. À ses yeux, elle n'avait fait que vieillir, consciencieusement, jour après jour, année après année, c'était un puits sans fond et Boris se demandait jusqu'où on pouvait aller dans la vieillesse sans se trahir. Car malgré le temps qui la marquait plus que les autres, elle restait elle-même : joyeuse et inquiète. Tantôt joyeuse, tantôt inquiète. Le plus surprenant était que sa bonne humeur avait fait face aux situations les plus difficiles et que son inquiétude se portait sur des broutilles.

Il s'accroupit près du fauteuil de Monsieur qui leva vers lui un regard morne, avant de laisser retomber, accablé, sa grosse tête sur le coussin.

— Tu as appelé le vétérinaire ?

— Je t'attendais. J'aime mieux que tu lui parles, toi… Comment le trouves-tu ?

— Comme d'habitude, Petite Mère : gras et dédaigneux.

Irène prit Monsieur dans ses bras et s'assit sur le fauteuil encore chaud de la présence de l'animal. Il poussa un cri, bref, plaintif, alors elle le caressa doucement, de sa main noueuse, de ses doigts abîmés, le caressa lentement, avec respect.

— Maurice… si je te dis que je ne lui survivrai pas…

L'éternelle litanie. Quand Irène se lamentait sur son chat, il lui semblait toujours que c'était d'elle qu'elle désirait parler, sans y parvenir, parce qu'elle ne savait pas, parce qu'elle n'avait jamais appris, et Monsieur portait ses inquiétudes avec un flegme paresseux et désabusé. Il prit la bouteille de vin sur la table dressée et remplit leurs deux verres, peut-être le vin aiderait-il Irène à se détendre.

Ils burent en silence. Boris la regardait. Il y avait tant de choses en elle maintenant qu'il ne supportait plus. Et il s'en voulait pour cela. Il aurait voulu tout aimer d'elle, parce qu'il lui devait tout, son enfance, sa jeunesse, mais des détails stupides, des attitudes, des idées fixes qu'elle avait, oui, des petites échardes dans son amour venaient l'agacer et il se forçait souvent, de plus en plus souvent, à lui rendre visite. Ils étaient voisins. Il avait acheté son appartement à deux pas de chez elle, rue Blanche, pour être plus disponible, et aussi, sans le savoir, pour ne pas quitter le quartier dans lequel il avait grandi. Elle lui sourit. Elle savait cela : l'impatience que procure aux autres la vieillesse et souvent même elle lui disait : Je t'agace, hein ? Et cela l'amusait car elle n'y pouvait rien. Elle s'en accommodait comme elle s'était toujours accommodée de tout, l'usine, le veuvage, la disparition de sa fille, l'éducation de Maurice… car pour elle, rien à faire, il s'appelait Maurice, Maurice Pichon, fils de Marguerite Pichon, sa fille, couturière, renversée par le bus 38 place du Châtelet quand il avait trois ans, et de Marius Monier, chanteur de cabaret dit Henry Ancord, disparu dans la nature peu avant sa naissance. Cela ne dérangeait pas Boris, qu'elle lui donne toujours ce prénom si laid, impossible à porter à son âge et dans son métier, ce prénom, un hommage de sa mère à Maurice Chevalier, que son amant Henry Ancord tentait d'imiter chaque soir.

Boris-Maurice était entouré de morts et de disparus, il avait grandi avec eux. Longtemps il avait rêvé en regardant la photographie de son père, cette photographie souriante où, en équilibre sur une jambe, il saluait le public, son canotier au bout du bras, prêt à sortir de scène (et il en était sorti pour de bon, mais où était-il aujourd'hui ?). Longtemps il avait caressé le costume d'Henry Ancord que sa mère avait fait elle-même, tant d'amour dans ces paillettes cousues sur la couture du pantalon, tant d'admiration pour ce qui brille, brille loin de l'usine – l'usine c'était pour les parents de Marguerite, pas pour elle, d'ailleurs elle, on lui avait donné un nom de fleur, alors…

Oui, Boris-Maurice était entouré de morts et de disparus et pour cette raison il avait choisi de s'appeler Angelli, afin de les avoir toujours là, sur son épaule, non pas qu'il les ait aimés, car à peine avait-il eu le temps de les connaître, mais il les portait en lui, portait ce qu'il connaissait d'eux et aussi ce qu'il ignorait et aussi ce qu'il imaginait, et parfois il se disait que c'était eux qui le portaient, ses anges mineurs, ses petites gens.

— Le vin te rend bien songeur…

— Il est bon…

— J'ai commencé *Dom Juan*.

Il n'avait aucune envie de parler de *Dom Juan*, pas maintenant, pas ici, pas avec elle.

— Il n'est pas trop sombre, ce personnage ? Quand est-ce que tu joues un gentil, ça fait longtemps que tu n'as plus joué un gentil ? Je sais ! Tu n'aimes pas que je te le dise, bon, passe-moi le livre, là, derrière toi… sur l'étagère… fais attention, je l'ai pris à la bibliothèque…

Encore une manie qu'il ne supportait plus, ces économies minables. *Dom Juan* en poche, ça coûtait combien ? Quatre euros ? Cinq ? La Librairie de Paris était en face de chez elle, pourquoi n'y avait-elle pas acheté le livre ? Elle avait sa retraite, l'appartement lui appartenait, et Boris lui donnait régulièrement de l'argent, ce qui entraînait régulièrement des disputes, mais enfin quoi ! cette façon qu'elle avait de toujours tout calculer comme si c'était encore la guerre, comme si l'argent avait tellement d'importance. Lui, ne comptait pas. Toujours il avait vu Irène faire les comptes et ouvrir avec angoisse le courrier : la Sécu, les allocations, les factures ! Toute son enfance il avait entendu parler des factures. Elles étaient étudiées, classées, payées en temps et en heure, et on s'appliquait pour faire le chèque comme si un chèque mal écrit avait eu moins de valeur. Boris et ses amis, eux, ne se plaignaient jamais des factures, ils se plaignaient des impôts, mais des impôts, jamais il n'avait entendu Irène en parler.

Il lui tendit de mauvaise grâce le livre cartonné, elle l'ouvrit avec respect, chaussa ses lunettes et tourna quelques pages avec précaution. La jambe de Boris s'agita nerveusement, elle battait la mesure, la mesure de son ennui, il regarda furtivement sa montre… Elle

leva vers lui un regard triomphant, puis lut lentement :
« La crainte en moi fait l'office du zèle » et se tut, pour
le fixer avec satisfaction. Il ne comprenait pas où elle
voulait en venir mais elle avait l'air plus jeune soudain,
avec son petit air amusé. Elle répéta, sans avoir besoin
de lire cette fois :

— La crainte en moi fait l'office du zèle.

— Oui, c'est beau...

— Il ne s'agit pas de ça ! Tu ne comprends pas :
c'était ça le problème chez Citroën, le problème de
ceux qui avaient la trouille devant la direction et
même devant les contremaîtres, c'était ça qui les
empêchait de faire grève, qui faisait d'eux des machines derrière les machines : la pétoche, Maurice, la
pétoche !

Petite vieille. Qui l'avait attiré dans ses filets. Avec
ses farcis et son chat malade. Avec ses tracas, son quotidien banal et en elle, droite, vive, la révolte, qui ne
s'était pas éteinte avec l'éloignement de l'usine, avec
la retraite et la petite vie ordinaire place Clichy, la
révolte, qui faisait d'elle une femme pour toujours res-
pectable.

— Et si on mangeait, maintenant ?

Il se leva, lui tendit la main, comme à une femme
du monde, alors elle lui donna la sienne, sa main abî-
mée, et se leva en oubliant Monsieur qui détala à
l'autre bout de la pièce.

— Il va mieux..., dit-elle.

Alors, ils se mirent à table.

Ce n'était pas ce qu'on appelle une mauvaise journée. C'était pire que ça. C'était une journée qui ne passerait pas, qui laisserait des traces, des angoisses qui surgiraient à d'autres moments, dans des insomnies, des conversations, Clara le savait. Pour elle, tout était signe, tout était relié, les êtres, les choses, les dates et les lieux, tout se tenait, et parfois à force de se tenir, les signes formaient des entraves et elle avait l'impression d'être bloquée contre un mur. Lorsque cela arrivait elle appelait Boris. Il répondait toujours et elle se demandait combien de temps encore il lui serait présent, car elle savait que le jour où il aimerait réellement une femme elle devrait céder la place. Ce sentiment de l'éphémère donnait un poids étrange à leur relation. Cela faisait cinq ans qu'ils étaient amants, cinq ans qu'ils oscillaient entre un sentiment de liberté et l'appréhension.

Ce soir-là, pour lui faire oublier sa journée fichue, Boris lui proposa de partir à L'Aigle. Elle ne travaillait que le lendemain soir, ils pourraient donc rentrer dans l'après-midi. La maison serait froide, dit-elle, ils n'y étaient pas allés depuis un mois, il n'y aurait rien à manger et elle n'avait pas envie de dîner au restaurant sur la place. Elle était volontairement de mauvaise humeur pour qu'il prenne les choses en main, se donne du mal, du mal pour elle. Deux heures plus tard elle était assise dans la voiture à ses côtés, il était passé chez le traiteur et le caviste, il avait acheté du café et des cigarettes, il avait pensé à tout, et dans la chaleur et l'intimité de la voiture, dans cet abri qui roulait doucement vers la petite maison normande, elle lui raconta.

Emmanuel avait annulé le rendez-vous. Pour la première fois depuis un an, il n'avait pas souhaité la voir. Elle était sur le point de terminer son travail, allait-il se dérober au dernier moment ? Il était difficile pour Boris de lui répondre au sujet d'Emmanuel, il était difficile pour Boris de cacher sa méfiance à l'égard du vieux monsieur, le sentiment de rejet qu'il lui inspirait. Clara savait cela mais elle voulait imposer Emmanuel à Boris, de la même façon qu'elle voulait le révéler au monde entier.

— Laisse-le mourir en paix, Clara.

— La paix, il ne la trouvera que lorsqu'il aura témoigné.

— Mais d'autres ont témoigné avant lui et tu les as tous lus, non ?

— Mais je n'en ai approché aucun. Je n'ai approché l'humanité d'aucun.

— Leur humanité est dans leur livre. Ce n'est pas parce que tu vois Emmanuel en robe de chambre et en charentaises tous les mercredis que tu approches son humanité.

— Je te rappelle que je trie ses archives depuis plus de six mois.

— Et alors ? Est-ce qu'il sait encore ce qu'il y a dans ces vieux papiers ? Hein ? Est-ce qu'il est seulement capable de t'en parler ?

— C'est parce qu'il est incapable d'en parler qu'il a écrit, je te l'ai déjà expliqué cent fois, est-ce que tu le fais exprès ?

— Je me demande seulement si le vieux bonhomme n'est pas sénile.

— Je t'ai déjà dit qu'il était pudique ! Pudique et bougon. Tu m'énerves, tu sais ! Merde alors, cette mauvaise foi !

Ils ne se parlèrent plus. Chacun ruminait dans son coin, s'adressait mentalement à l'autre, faisait les questions et les réponses, s'énervait inutilement. Dehors, il faisait nuit. La nationale n'était pas éclairée mais ils la connaissaient par cœur, connaissaient les distances d'un village à un autre, d'un carrefour à un autre, c'était une route pleine de repères et de souvenirs.

— Pourquoi il a annulé le rendez-vous ?

En posant cette question Boris faisait un effort, elle le savait, mais cela ne l'intéressait pas. Elle aurait voulu qu'il comprenne. Sans gentillesse.

— Ça n'a pas d'importance…

— Bien sûr que si, ça en a. Qui sait, maintenant que les archives sont triées, s'il n'a pas traité directement avec un éditeur.

— Génial ! Ça, je n'y avais pas pensé !

— C'est bien, ça te fera une angoisse supplémentaire, tu en manquais, non ?

— Tu as pris du whisky ?

Elle fouilla dans les sacs de chez Nicolas et trouva un whisky de douze ans d'âge. Ils burent à tour de rôle, à défaut de se parler, et bientôt il ne resta plus que la nuit et son silence, les troncs des arbres qui défilaient au bord de la route, surgissaient, disparaissaient, comme des bornes, des pages tournées avec violence.

Il y avait des restes de nourriture posés un peu partout, sur le tapis, le buffet, au-dessus de la cheminée, et Clara aimait ce désordre, il était rassurant, il habitait la maison. Les bougies finissaient de se consumer, elle était recroquevillée sur le canapé, la tête sur les genoux de Boris, elle fixait le feu dans la cheminée, le regard lointain pourtant, comme si elle voyait ce qui se passait derrière les flammes, comme si elle l'avait deviné.

— Un jour tu me quitteras.

— Pourquoi ?

— Tu seras amoureux.

Il lui caressa les cheveux, ses cheveux noirs et brillants, massa lentement sa nuque, imprima ses doigts sur son crâne.

— Au fait, Irène voudrait savoir quelle est la marque de ton shampooing.

Elle se redressa.

— De quoi tu me parles ?

— Elle m'a demandé la marque de ton shampooing. Et de ton parfum aussi. Elle ne voulait pas croire que je ne connaisse pas le nom de ton parfum, elle m'a traité de mufle, c'est joli « mufle » !

— Mais qu'est-ce que ça vient faire là ? De quoi tu me parles ?

Elle se leva, remit une bûche dans le feu, frappa les braises avec la pique pour en faire surgir des étincelles, comme lorsqu'elle était petite et qu'elle s'imaginait frapper son père : ce geste régulier, cet acharnement calmaient pour un temps sa peur sans l'apaiser tout à fait, et toujours elle avait cette hantise de lui, cette obsession… Boris lui parlait et cela brouillait les souvenirs, les images déjà floues mais toujours laides, la sensation amère de cette filiation ratée, Boris lui parlait comme on s'obstine.

— Je t'ai posé une question !

Sa voix était haute, hostile. Clara se retourna très vite.

— J'utilise du shampooing pour bébé, uniquement pour bébé, et le parfum, préparé exprès pour moi chez Fragonard, à Grasse !

Il la regarda avec mépris.

— Quoi ? Qu'est-ce que j'ai dit ?

Elle n'aimait pas quand il avait ces yeux-là, ces yeux qui la réduisaient et cette moue qui signifiait Laisse tomber, comme si toute explication était vaine, est-ce que c'était si grave que ça de ne pas avoir entendu cette foutue question ? Son visage s'était fermé, il était furieux, et elle ne savait pas pourquoi. Elle était dégoûtée maintenant par ce vin, ces bougies, ce feu, ce romantisme convenu. Et le voilà qui montait se coucher sans un mot, la main accrochée à la rampe comme un malade !

— Boris ! Boris !

Le nom résonna dans la maison en désordre, cogna contre les poutres, contre les murs, Clara monta à la chambre, vite, comme si en empêchant Boris de s'endormir elle l'empêchait de la quitter.

Mais il ne dormait pas. Il se tenait sous la douche, droit, les bras le long du corps, les yeux mi-clos, comme abandonné sous l'eau chaude, et déjà la salle de bains était pleine de vapeur. Elle entra sous la douche, se colla avec force contre lui, il la prit dans ses bras et son sexe durcit aussitôt. Il eut du mal à la déshabiller, l'eau alourdissait ses vêtements, et ils riaient, d'un rire fatigué, déçu, il la plaqua contre le carrelage, elle cria parce que c'était froid, parce qu'elle était à bout, il posa sa bouche contre la sienne, sa bouche pleine d'eau et qui pourtant sentait le vin, elle s'accrocha à lui pour se tenir et lui faire mal aussi, il la souleva car elle était petite, plus

petite que lui, mais heureusement si légère, et il la
pénétra avec soulagement. Elle pensa au plaisir.
Uniquement au plaisir, à cet instant insoutenable de
la jouissance, qui la balancerait entre manque,
fureur et délivrance, et la laisserait vide, égarée.
Loin de tout. Enfin.

Élisabeth avait emmené les filles au jardin des Batignolles. Elle s'était assise sur un banc, tandis qu'elles se poursuivaient en rollers.

Le soleil de novembre était timide, elle lui tendit son visage mais il était froid, il ne réchauffait pas. Elle alluma une cigarette. La vieille dame sur le banc d'en face lui jeta un regard désapprobateur. De plus en plus de gens rejetaient les fumeurs, comme si grâce à cette sanction, ils évacuaient leur culpabilité à propos d'actes plus graves. Cette harpie qui prenait un air courroucé battait peut-être son chien, ou votait extrême droite, ou les deux. Élisabeth souffla la fumée lentement, avec une volupté ostentatoire, la vieille s'en alla après avoir marmonné quelque chose de désagréable si on en croyait la mimique sur son petit visage fripé. Je hais les vieux, pensa Élisabeth, d'ailleurs quand je ne travaille pas, je hais tout le monde… Si seulement mon agent avait un projet fantastique à m'annoncer, là, maintenant, un rôle inespéré, le tournant de ma carrière… si seulement il pouvait m'appeler…

Camille et Élodée passèrent devant elle en criant, elle agita la main dans leur direction, cela faisait bien une demi-heure qu'elles jouaient sans se disputer, quel miracle… une demi-heure seulement ? Élisabeth en fut stupéfaite : une demi-heure à peine qu'elle était assise sur ce banc ? Mon Dieu, pensa-t-elle, mais comment font les mères qui tiennent un après-midi entier ? Comment font-elles pour se satisfaire de ces heures mortes, entrecoupées d'encouragements, de coucous ravis et de pauses goûters vitaminés ? À quoi se raccrochent-elles pour ne pas hurler leur dégoût du parc, du banc, du mercredi obligatoire... ? D'où leur vient ce calme, cette soumission au rôle assigné, cette placidité imperturbable dont elle-même se sentait totalement exclue ? Elle. Pas assez disponible. Jamais à la bonne place au bon moment.

Le téléphone sonna. Elle sursauta, prête à accueillir la nouvelle fantastique... ce n'était pas le numéro de son agent qui s'affichait mais celui de Pascal, elle prit sa voix ravie pour lui répondre, sa voix de maman satisfaite, sa voix d'épouse sereine, il la coupa, et après lui avoir signifié qu'il rentrerait plus tard que prévu, il raccrocha. Elle éteignit son portable. Elle ne voulait plus l'entendre sonner. Personne n'avait rien d'inouï à lui annoncer, tout le monde vivait au ras du sol en trouvant ça normal, chacun se contentait du service minimum... Dans l'allée d'en face les filles discutaient avec une inconnue. Elle se leva pour mieux les voir. Elle était sûre que tout se passerait bien. Mais elle regardait tout de même. Par réflexe. Par devoir. Elle avait interdit à ses filles de parler aux inconnus, de traverser quand le petit bonhomme est rouge, de se pencher par la fenêtre, elle avait interdit à ses filles de mourir – tout en s'émerveillant de leur appétit à vivre et de leur insouciance... une insouciance qui lui broyait le cœur. Elle s'approcha vivement du petit groupe, elle allait sévir, il le fallait, Leïla lui sourit, ah ! c'était Leïla, la petite voisine du sixième – pourquoi

« petite », se demanda-t-elle, je parle comme une vieille... une vieille patronne...

— Regarde, maman, dit Élodée, Leïla m'a donné un bonbon-Schtroumpf ! Et elle lui tira une langue maladive, avant de repartir, accrochée au blouson de sa sœur. Leïla et Élisabeth s'assirent sur un banc. À deux, c'était déjà mieux.

— Tu as l'air fatiguée.

— J'ai commencé un nouveau travail, à l'Hôtel, en bordure du périph, c'est loin, je me lève à cinq heures.

— Quand on tourne aussi on se lève tôt.

— Ah, bon ?

Leïla alluma une cigarette. Elle avait l'air fatiguée, mais heureuse aussi. Il y avait toujours en elle une lumière, quelque chose dans son œil qui guettait. Elisabeth s'en voulut de lui avoir parlé des tournages.

— C'est difficile ?

— Quoi ?

— Le boulot.

— C'est pourri, oui.

Leïla fumait lentement, on aurait dit qu'elle se reposait. Élisabeth pensa qu'elle avait une façon prolétaire de fumer, la cigarette était une récompense, une pause, alors qu'elle-même fumait par nervosité, par pur ennui... comme une bourgeoise.

— Tu fais les chambres ?

— Y a pas grand-chose d'autre à faire dans un hôtel...

— Non... je veux dire... les petits-déjeuners, tout ça... ? Et elle réalisa qu'elle n'avait jamais laissé de pourboire aux filles qui lui apportaient son petit-déjeuner quand elle dormait à l'hôtel.

— C'est tuant, je dois faire cinq chambres par cinq chambres.

— Qu'est-ce que ça veut dire ?

— Je suis payée pour cinq chambres de l'heure. Une heure de SMIC égale cinq chambres.

Élisabeth eut un petit rire.

— C'est idiot ! Si tu en fais sept, qu'est-ce qui se passe ?

— On divise le SMIC. Le pire c'est quand il faut attendre que les clients se réveillent ou que les draps arrivent. Si on attend et qu'on met la matinée pour faire les cinq chambres on sera quand même payé une heure. Et vous ? Vous travaillez pas aujourd'hui ?

— Ni aujourd'hui ni demain. Je crois que je vais aller voir mon agent pour lui secouer les puces.

— Ouais, des fois les gens faut les secouer.

Élisabeth avait lu dans le journal qu'un patron pouvait toucher chaque mois mille cinq cents fois le SMIC, sans parler des stock-options qui pouvaient lui rapporter jusqu'à deux fois son salaire. Elle avait relu l'article parce qu'elle n'intégrait pas les chiffres, trop hauts, trop inhabituels, et maintenant c'était la division du SMIC qu'elle n'arrivait pas à faire.

— J'ai croisé votre baby-sitter l'autre soir, elle m'a dit que vous étiez au théâtre.

— Oui, Pascal avait une première, je te donnerai des places… ou plutôt, si tu veux, un soir on ira au théâtre ensemble, voir une bonne pièce.

— On irait au théâtre ? Non, mais ce serait génial !

L'enthousiasme de Leïla l'émut. Elle était prête à être surprise, étonnée, bouleversée… Oh ! Comme Elisabeth avait envie de jouer ! Quel manque c'était de ne plus avoir ce rendez-vous nocturne, cette insupportable tension, quel manque c'était de ne plus se sentir enfin soi-même, deux heures par jour, deux immenses heures qui réduisaient le reste de la journée à une simple attente.

— Ça me ferait très plaisir d'aller voir une pièce avec toi, Leïla.

— Le problème c'est que j'ai pas grand-chose à me mettre...

— Pas besoin de s'habiller pour aller au théâtre, tu sais... Je rentre, j'ai froid.

— Je reste un peu, si vous voulez je vous ramène les petites.

— Je veux bien, je vais en profiter pour téléphoner à mon agent, les filles me tournent toujours autour quand je téléphone, je crois qu'elles détestent ça.

Leïla lui sourit. Elle était belle avec son sourire et ses grands cernes, elle était comme un petit soldat qui ne tombe jamais.

— Tu vas rester longtemps chez ces escrocs, à l'Hôtel ?

— Je crois pas, non... Mais il faut que je prouve à la DISS et à mon éducateur que j'ai de la bonne volonté.

Élisabeth comprenait ça : la volonté ! Jamais mauvaise. Toujours bonne. La bonne volonté qui fait de nous des femmes déterminées, des femmes qui font face à la vie avec une foi têtue, la peur vaillante de rater quelque chose, de passer à côté. À côté de quoi ?

Elle sortit du jardin, releva la tête et décida que tout allait bien.

Élisabeth aimait lire des histoires aux filles le soir, pour les endormir. C'était un apaisement de savoir la journée achevée. Il n'y avait plus rien à faire ni à prouver et la lecture du soir ressemblait à une confidence avant le mystère de la nuit.

L'appartement était calme maintenant, Élisabeth se servit une prune et mit un disque de Klaus Nomi. La voix partait de la terre pour tirer le corps, le transpercer tout entier pour le relier au ciel, et quand elle écoutait cette voix Élisabeth se sentait debout, droite, immense. Elle était bien. Avec ses filles. Sans Pascal. Est-ce qu'elle avait besoin de lui ? Est-ce qu'elle l'aimait encore après cette mise en scène ratée ? Impossible d'aimer sans admirer. C'était comme la voix de Klaus Nomi, l'amour devait vous tirer vers le ciel et vous attirer vers la terre, l'amour devait être ce paradoxe, cette plénitude, et seule l'admiration pouvait nourrir ce sentiment-là. Alors quoi ? Pouvait-on désaimer un homme simplement parce qu'il a raté une mise en scène ? Ridicule... Monstrueux... Non, ce n'était pas cela. C'était peut-être cette façon qu'il avait de s'endormir le soir, comme un tas, un corps trop épais, on aurait dit qu'à peine couché il avait déjà la mauvaise haleine du matin, et les draps semblaient sales et l'imagination paresseuse. Non, ce n'était pas cela... C'était peut-être cette façon qu'il avait de lui faire l'amour, vite, vite, comme si son pénis ne pouvait pas tenir plus de trois minutes, d'ailleurs il n'attendait pas son plaisir à elle et alors il mettait ses doigts dans son sexe, elle avait l'impression qu'il la finissait et elle le repoussait violemment. Alors ? Cette médiocrité ? La faute à qui ? À quoi ? À elle sûrement, qui n'était pas épanouie, qui n'avait pas l'aura d'une femme qui travaille, une femme qui porte en elle un peu du mystère de sa vie à l'extérieur, c'était peut-être pour ça qu'il ne lui demandait plus de ses nouvelles, parce qu'elle n'avait rien à raconter, elle était vide, un courant d'air, rien d'autre. Bon Dieu ! Est-ce qu'elle allait s'éteindre comme ça, un vieux cierge dans une église déserte, personne pour y prier, pour y croire ? Il ne fallait pas s'engouffrer dans ces pensées sombres, un peu de volonté ! Un peu de cette foutue bonne volonté !

Elle ouvrit son calepin. Elle allait téléphoner à une copine, après tout il n'était pas dix heures, elle avait dîné aux aurores avec les filles, jambon purée, elle avait toute la soirée devant elle. Les noms défilaient... elle ne trouvait pas le bon, l'indispensable. Les copines à qui elle n'avait pas parlé depuis longtemps allaient lui demander de ses nouvelles, cela la terrifiait, et celles qu'elle avait eues récemment au téléphone savaient déjà...

Elle passa à la salle de bains, se fit couler un bain mousse, disposa des bougies, alluma la radio et entra dans la baignoire comme on se glisse sous un édredon.

Dans le poste, une femme parlait. Elle avait une voix douce, attentive, qui n'avait pas peur des silences mais les respectait, comme une portée musicale. Elle connaissait cette voix... Elle disait : « Il y a une analogie très forte entre ce dernier rôle et ce que vous représentez dans l'imaginaire du spectateur », elle disait des mots qui allaient bien ensemble. Élisabeth ferma les yeux, passa sa main sur son sexe, elle aimait ses poils frisés qui gonflaient dans l'eau, elle aimait l'eau du bain qui entrait en elle et qui s'écoulerait plus tard, tout chaud, dans son lit. La voix avait ri... Élisabeth rouvrit les yeux. Mince, alors ! Ce rire... Ah ! elle était tout près de le reconnaître, c'était proche, elle l'avait entendu déjà... « Je vous ai beaucoup aimée dans *Passion-Passage*... » (« Je vous ai beaucoup aimée dans *Le Retour*. ») Oui ! Clara Mercier ! C'était elle, Clara Mercier... Elle se leva, l'eau ruissela, grasse, douce, la mousse glissait sur ses seins, ses épaules et son ventre, elle se regarda dans la glace embuée... elle n'était pas trop mal embuée... grande, mince, les yeux bleus, les cheveux bouclés... Elle se tourna pour voir ses fesses et les prit à pleines mains. Bon. Ça allait. Alors ? Qu'est-ce qui ne suivait pas ? La tête ? Mais elle avait tout dans la tête, elle avait simplement besoin qu'on lui ouvre la cage, elle savait très bien voler... La porte d'entrée claqua. Merde ! pensa-t-elle, il va réveiller les filles. Tiens... Faire l'amour dans le bain ça ne serait pas si mal... pas toujours confortable mais très agréable, ras-le-bol de faire l'amour au lit, toujours à l'horizontale comme une paralytique et doucement pour ne pas réveiller les enfants, les traumatiser à vie et les abonner aux psychiatres. Qu'est-ce qu'il foutait ? Elle l'entendait marcher dans l'appartement, ouvrir une porte, en fermer une autre... Non ! Pas possible ! Il avait allumé la télé ! Elle allait le tuer ! Elle était dans son bain, à la lueur des bougies et il regardait la télé ! Elle sortit de la baignoire, poussée par la colère, elle glissa, son tibia cogna contre l'angle du petit meuble. Elle était furieuse d'avoir mal, mal à cause de lui, le salaud, c'était la goutte d'eau qui faisait déborder le vase, elle grelottait à présent, elle s'enroula dans une serviette, sécha son tibia et le massa avec de l'arnica. Les larmes coulaient malgré elle, assise sur le rebord de la baignoire, blessée, tassée sur elle-même. « Il faut se laisser bercer – j'allais dire berner – par la fantaisie du rôle, non ? » Et cette Clara Mercier toujours aussi doucereuse, calme et tempérée, elle ne la supportait plus ! Elle s'essuya les yeux sans y penser, la brûlure de l'arnica fut insupportable, elle se précipita vers le lavabo, rinça abondamment ses yeux qui pleuraient de rage et de douleur mêlées et c'est alors que Clara Mercier fit passer *Cold Song* de Purcell, interprété par Klaus Nomi… Élisabeth leva la tête, s'immobilisa, puis se tourna pour regarder la radio, qui continuait à ressembler à une radio, mais elle ne pouvait en détacher son regard : la journaliste lui envoyait sa musique préférée, celle qui la faisait vivre entre terre et ciel, la faisait respirer à la bonne hauteur, la faisait marcher même immobile.

Elle s'assit par terre, près du poste, ses larmes étaient chaudes maintenant, ses larmes la déchargeaient, abaissaient ses épaules, ouvraient sa poitrine, éclairaient cette salle de bains humide aux odeurs d'arnica et de bougies au miel. Élisabeth était douce, lavée, toute neuve.

Le lendemain Clara alla voir Irène. Elle pensait soulager un peu sa solitude et fut surprise de trouver l'appartement plein de vieilles dames surexcitées qui fêtaient l'anniversaire de Nini, quatre-vingts ans, une ancienne de chez Citroën – car ainsi qu'elle le comprit, elles venaient toutes de là.

Elle n'eut pas envie de repartir. Elle aimait la compagnie des personnes âgées, elle aimait connaître leur vie, elle avait besoin de sentir que son père et son grand-père avaient été des exceptions et qu'il y avait eu aussi des gens bien, des gens de peu – des « congés payés », comme disait sa mère avec dédain.

Elle n'avait pas de cadeau, elle n'avait sur elle que le shampooing pour bébé qu'elle voulait faire essayer à Irène, mais ce n'était pas le moment de le sortir.

Tino Rossi passait en boucle sur le vieux pick-up, c'était l'amour à dix sous, le rêve pas cher, Clara sentait les vieilles ouvrières prêtes à y croire encore, elles étaient légères, heureuses d'être ensemble, elles s'émerveillaient du mousseux, du gâteau à la crème et de toutes ces bougies roses qui ne voulaient pas s'éteindre. Nini soufflait désespérément, les flammes vacillaient seulement, c'était des exclamations d'encouragement, puis des moqueries, elles soufflèrent à plusieurs, Clara remarqua que certaines postillonnaient allègrement sur le gâteau, et toujours les bougies tremblaient sans s'éteindre, enfin Irène leur révéla son secret d'enfant espiègle : elles ne s'éteignaient que sous la flotte, et encore ! On les retira une à une avec des gestes tremblés, des doigts gourds, des petits rires, et on les mit dans l'évier avec soulagement.

Le silence régna quand les vieilles femmes s'attaquèrent au gâteau, puis elles se tournèrent vers Clara : qui était-elle vraiment ? Qu'est-ce que ça voulait dire « l'amie de Boris » ? Était-ce sérieux, allaient-ils se marier, avant on se mariait c'était pas plus mal, on avait son homme bien à soi, au moins une chose sur laquelle on pouvait compter dans cette vie truffée de contremaîtres, d'espions, de faux-culs et de jaunes, mais Clara ne travaillait sûrement pas à l'usine... comment ? À la radio ! Ça c'était une nouvelle. Jolie comme vous êtes c'est dommage, dit Nini, vous pourriez présenter le vingt heures ! Non mais la radio c'est très bien, affirma une autre, est-ce que vous avez rencontré des stars ? La réponse évasive de Clara se perdit dans le brouhaha : Irène avait eu des nouvelles de Suzanne, elle était arrière-grand-mère pour la deuxième fois. Clara comprit qu'elle ne les intéressait que modérément, leurs vies étaient tellement chargées, pleines de labeur et de souvenirs, elles étaient les miroirs les unes des autres, les gardiennes de leurs vies, si l'une perdait la tête les autres seraient là pour lui rappeler qui elle était et ce qu'elle avait fait.

— Votre grand-mère c'est quelqu'un ! chuchota à Clara une petite bonne femme qui apparemment n'avait pas tout suivi.

— Oui, s'entendit répondre Clara, et elle alla plus loin encore, prononçant ces mots étranges : Ma grand-mère c'est quelqu'un de bien.

— On était ensemble. Au 86.

Clara hocha la tête, mais elle ignorait ce qu'était le 86. L'autre pensa qu'elle l'encourageait à continuer, ce qu'elle mourait d'envie de faire.

— On avait calculé : on donnait 3 750 coups de pouce dans la journée, oui, 3 750 ! Qu'est-ce que vous dites de ça ? On avait toujours des bandages et des pansements, mais pensez-vous, à la fin de la journée, ça ne servait plus à rien. Mon mari, il était aide-comptable ! Il n'avait même pas besoin de se laver les mains avant de passer à table, il avait toujours les mains propres. Moi, je suis comme votre grand-mère, j'ai du mal à attraper les objets, mes pouces sont fichus...

Clara était une montagne d'ignorance face à ces vies d'ouvrières, face à ce monde pourtant si proche... son père avait fait fortune dans les conserves de petits pois, c'était rentable et ridicule, elle avait toujours eu honte de son père, ses usines de petits pois et ses dépressions nerveuses, c'était minable et tragique, une bouffonnerie !

— Pourquoi vous n'êtes pas allée voir le médecin ?

— Mais... quel médecin ?

— Eh bien... le médecin du travail.

La petite vieille se tassa encore plus et se mit à rire par secousses, puis, en touchant le bras de Clara, elle lui dit sur le ton de la confidence :

— Le toubib de chez Citroën on l'appelait le vétérinaire, c'est vous dire s'il était doué. Et puis, ce vendu, moins il donnait d'arrêts de travail plus ses primes étaient élevées.

Elle se redressa un peu et répéta encore :

— Non mais votre grand-mère c'est quelqu'un, ça oui ! Quand on lui demandait comment elle faisait pour tenir le coup (jamais malade, jamais aux assurances) elle disait : « Je me chante », et c'est ça qu'elle faisait, oui, elle faisait les sièges en chantant dans sa tête, elle disait que ça lui donnait du rythme !

— Je le savais, elle me l'a raconté souvent.

— Bien sûr..., admit la petite vieille, et elle se tourna vers les autres qui papotaient enfants, petits-enfants, arrière-petits-enfants, leur sourit, et il sembla à Clara qu'elle tremblait un peu. Elle sentit le regard de la jeune femme et lui dit, comme on s'excuse :

— Je n'ai pas de petits-enfants... Ma fille...

Et sa voix se cassa, qui ne s'était jamais habituée à dire la phrase sans flancher.

— Ma fille est morte toute petite.

Puis elle battit l'air de sa main, comme pour chasser les mots et l'émotion qui allait avec.

Clara prit Irène à part, lui donna le shampooing et sortit sans saluer personne.

La place Clichy était saturée de voitures et de bus, le soleil était cru, d'une lumière sans nuances, Clara décida de prendre un verre au Wepler.

Elle s'assit et regarda les gens passer, ces gens de toutes les nationalités, de toutes les religions, de toutes les sexualités, un monde... Et elle ? À quel monde appartenait-elle ? Boris avait de la chance, il avait une grand-mère pleine de souvenirs avouables, des souvenirs qu'on pouvait transmettre ou garder jalousement au fond de soi... Maintenant elle sentait, oui, elle pressentait ce qu'avait été sa question, l'autre soir à L'Aigle, la question qu'elle n'avait pas entendue. Elle l'appela, il était rue Blanche, elle lui demanda de la rejoindre au plus vite et il fut bientôt à ses côtés, étonné, un peu inquiet, pourquoi n'avait-elle pas voulu venir à l'appartement ?

— La question. Quand j'étais près du feu. La question que je n'ai pas entendue, qu'est-ce que c'était ?

Il détourna le regard. Au fond de la salle, du côté brasserie, deux amoureux se partageaient un superbe plateau de fruits de mer.

— Je reviens de chez Irène…

— Et alors ?

— Alors, je veux entendre ta question.

— Quel rapport avec Irène ?

— Irène c'est ton enfance, la mort de ta mère, les chansons de ton père, c'est toi faisant tes devoirs sur la table de la cuisine pendant qu'elle change ses pansements (et alors seulement il la regarda : comment savait-elle, qui lui avait dit pour les pansements, Irène n'en parlait jamais), c'est vos dimanches place Clichy, c'est la famille, quoi, la famille ! Pourquoi est-ce que tu me forces à le dire ?

Il but un peu de sa bière, alluma une cigarette – la bière ne pouvait pas aller sans la cigarette, c'était un goût marié, le goût du temps qui passe lentement et que l'on savoure. Mais il ne savourait rien.

— Je veux un enfant.

Il avait dit cette phrase calmement, en fixant son verre, cette phrase terrible qui remuait depuis si longtemps en lui, cette évidence.

— Je veux un enfant.

Voilà. C'était possible d'entendre ça. C'était possible que ça arrive. Un jour, dans un bar. Sans bruit. Sans violence. Mais Clara ne pouvait pas le perdre. Elle ne pouvait pas lui dire non. Elle s'était juré de ne jamais lui mentir, mais c'est ce qu'elle fit, par instinct de survie.

— Laisse-moi un peu de temps…

— Du temps pour quoi ? Tu as toujours dit que tu n'aurais jamais d'enfants.

— Laisse-moi me faire à l'idée, hein ?

Il ne pouvait plus la regarder. La regarder c'était l'humilier, car elle n'était plus rien qu'une femme défaite et qui mentait. Au fond de la brasserie, le couple d'amoureux riait fort, l'homme levait une bouteille vide vers le garçon et lui faisait signe d'en apporter une autre. Voilà comment la vie était supportable : mélangée au vin. La vie il fallait la diluer, la noyer dans l'alcool. Boris sentit sur ses mains les doigts glacés de Clara, il les prit contre lui pour les réchauffer, il ne lui avait jamais fait de mal, qu'est-ce qui leur arrivait, quelle malédiction s'accomplissait ?

— Clara, je devrais avoir deux enfants. J'ai quarante-cinq ans et j'ai eu deux amoureuses qui ont avorté et je crois que je les ai encouragées à le faire, mais aujourd'hui... je trouve tout ça injuste...

— Tue-moi..., chuchota-t-elle. Et il la vit pour la première fois. Elle ne pleurait pas mais son visage était devenu plus petit, son visage annonçait ce qu'il deviendrait dans la vieillesse, il portait toutes ses vies.

Il embrassa doucement ses mains, puis ils se levèrent et sortirent, serrés l'un contre l'autre, soudés par l'incompréhension et la douleur, désorientés, tellement différents de l'instant si proche où ils étaient entrés dans la brasserie.

C'est en sortant du Wepler qu'ils rencontrèrent Elisabeth. Elle s'était fardée et portait un blouson de cuir souple et une jupe longue dont le tissu fluide accompagnait ses pas, elle avait rendez-vous avec Éric Saint Clair, son agent, et tenait à être au mieux de sa forme.

Un instant, elle ne reconnut pas Clara Mercier, elle ne la reconnut, en fait, que parce qu'elle était avec Boris. Ils étaient misérables, elle était rayonnante, aussi la rencontre les surprit-elle tous les trois, pourtant Clara y vit un signe : puisque le face-à-face avec Boris devenait insoutenable, elle allait se raccrocher à cette fille qui passait. Elle eut du mal à trouver ses mots, à les faire sortir de son corps endolori, elle les chuchota sans conviction : On prend un verre ? Élisabeth accepta, un peu déroutée, qu'allait-elle dire à cette femme si triste qui lui avait semblé quelques jours plus tôt si belle ?

Elles s'assirent à une table ronde un peu à l'écart, Clara avait chaud à présent, elle retira son manteau, les manches se déployèrent comme deux ailes noires avant de retomber, flasques, sur la banquette de moleskine.

— Un double whisky sans glace, dit-elle à Élisabeth.

Élisabeth héla le serveur, un grand bonhomme mince à la peau mate, au tablier taché.

— Un double whisky sans glace et un café !

Elle était éclatante, elle avait décidé de l'être, mais elle savait qu'elle serait épuisée avant la fin du jour.

Un temps elles restèrent sans rien dire et Élisabeth nota avec étonnement que ce silence n'était pas gênant, il était un espace, une lenteur bienfaisante.

Clara renversa la tête en arrière, ébouriffa ses cheveux, Élisabeth entendit tinter les bracelets et il lui sembla que la jeune femme était en train de réapparaître peu à peu.

— Vous connaissez Boris depuis longtemps ?

Élisabeth réfléchit un moment en tordant la bouche, ce qu'elle ne faisait qu'en présence de ses enfants, car cette grimace les faisait rire, pourquoi se laissait-elle aller comme ça devant cette femme ?

— On s'est rencontré au conservatoire, mais on n'était pas dans la même classe, Boris est un peu plus âgé que moi. En fait, c'est sur le Pinter qu'on a vraiment fait connaissance, oui... il y a quatre ans.

— On était déjà ensemble, Boris et moi, il y a quatre ans, mais... on y allait doucement... On se voyait peu. On ne se posait pas trop de questions. Il avait d'autres liaisons et j'ai mis presque un an à lui avouer que ça me rendait dingue.

Clara n'avait pas l'habitude de confier son intimité, mais après ce qui venait de se passer avec Boris, à quoi bon les précautions et les tâtonnements ? Elle avait sûrement l'air ridicule, mais tout était ridicule. Ce bar. Ces gens. Tous ces mensonges et ces meurtres polis.

— Quand on jouait *Le Retour*, il ne parlait que de vous, on était tous un peu jaloux, un peu envieux et lui... je me souviens, il disait : Vous ne pouvez pas comprendre.

Clara sourit... Boris avait raison, qui pouvait comprendre cette histoire de couple qui n'était pas une histoire d'amour, cette vie à deux qui ne connaissait pas les orages de la passion, et ce matin pourtant, cette souffrance… ?

— Vous avez des enfants ?

— Deux filles. Deux petites filles de cinq et sept ans.

— C'est bien…

— Pourquoi, c'est bien ?

— Je ne sais pas, c'est… Les enfants c'est… la vie qui continue. Non ? Enfin, vous devez savoir ça mieux que moi.

— Non. Je ne sais pas pourquoi j'ai des enfants. Je ne sais pas pourquoi je ne pourrais pas vivre sans elles. Parfois, je trouve même monstrueux d'avoir mis des enfants au monde.

— En 1940… c'était vraiment monstrueux de mettre des enfants au monde.

Élisabeth la regarda sans comprendre. Qu'est-ce que ça venait faire là ? Elle voulait la remercier pour Klaus Nomi, mais elle n'osait pas, car peut-être Clara ne se rappelait pas le morceau diffusé hier soir, et sûrement tandis qu'Élisabeth pleurait, elle papotait avec son invitée en attendant que le technicien lui fasse signe et que s'allume la petite lumière rouge.

— On parle toujours de ce qui attend les enfants, continua Clara, mais les mères… elles aussi… Je veux dire, ça peut être terrible pour elles aussi.

Et elle parla de Boris, de son désir de paternité – mais elle ne pourrait pas faire un enfant uniquement pour garder Boris, elle ne savait pas faire ça, ce mensonge, cette lâcheté, jamais elle ne pourrait. On ne retient personne avec un enfant, lui dit Élisabeth, on se lie à vie, on ne retient rien. Elle avoua que ses filles l'avaient éloignée de Pascal, qu'elle avait basculé dans un autre monde le jour où elle était devenue mère –

et elle s'étonna de ses paroles car elle n'y avait pas songé auparavant. Pour ne pas approfondir cet aveu, elle raconta l'étonnement de voir Camille et Élodée grandir, avec cette impression d'improviser leur éducation au jour le jour, sans que rien soit acquis. Malgré elle, elle s'engageait dans la conversation, elle tenait mal son rôle de femme insouciante, face à Clara elle n'arrivait pas à simplement faire passer le temps, elle n'arrivait pas à cette neutralité nécessaire… mais déjà, Éric Saint Clair se tenait, debout, à côté d'elle. Il fallait se reprendre, il fallait sourire, il fallait le présenter à Clara, mais comment ? Et elle eut honte soudain, sans savoir de quoi. Sans savoir de qui. Mais eux se connaissaient déjà. Paris n'est qu'un minuscule point de rencontre où chacun se félicite de connaître un monde fou, et déjà Éric Saint Clair remerciait Clara d'avoir invité la semaine précédente son actrice, la sublime Béate Faber. Élisabeth se sentit tout à fait insignifiante, elle était la comédienne toujours en demande, la gamine qui tire en vain sur la jupe de sa mère pour lui signaler sa présence.

— Je vous attends, ne vous pressez pas, j'ai un coup de fil important à passer, lui dit Saint Clair en lui tapotant l'épaule. Mais c'est à Clara qu'il souriait.

Elles restèrent silencieuses un moment. Il y avait maintenant un flottement, une gêne impalpable.

— Lui et moi ça ne colle pas, vous ne trouvez pas ?

— Quittez-le.

Élisabeth fut choquée par la brutalité du conseil. Par sa simplicité cruelle.

— Beaucoup de choses ne collent pas, continua Clara, beaucoup de choses ne nous vont pas.

Élisabeth ne voulait pas y penser. Elle s'était juré de conquérir cette journée, de la vivre sans douleur, d'être légère. Une bulle. Juste une bulle.

— Excusez-moi, je suis si brusque… J'aimerais vous montrer ma maison, à L'Aigle. S'il vous plaît, venez à L'Aigle. Élisabeth… peu importe votre agent. Vous êtes une grande comédienne, je le sais, et vous aussi.

Élisabeth eut les larmes aux yeux. Elle haïssait cette émotion qui surgissait toujours quand il ne fallait pas. Il ne fallait pas être émue et vulnérable, il fallait saisir cette idée et s'y accrocher : une grande comédienne, elle était une grande comédienne.

Clara ouvrit la porte, ouvrit les fenêtres, ouvrit les volets, et laissa Élisabeth seule un instant.

La maison sentait la cendre froide, l'humidité et le bois, elle était arrangée avec soin, une esthétique et une harmonie un peu bohèmes, l'idée exacte qu'Élisabeth se faisait du bourgeois cosmopolite et nonchalant, un brin poète, un brin gêné par son argent.

Elle rejoignit Clara sur la terrasse où rouillait consciencieusement une table en fer forgé.

— Boris voudrait que j'organise des dîners ici, mais je n'invite jamais personne. Il imagine des chambres pleines, beaucoup de bruit et d'agitation... Mais cette maison attend autre chose.

— Qu'est-ce qu'elle attend ?

— Que ça colle, comme tu disais au Wepler.

— C'est lui qui a décoré la maison ?

— C'est moi. Mais qu'est-ce que je pouvais faire, hein ? Qu'est-ce que tu voulais que je fasse ? J'ai mis tout ce qu'on est censé mettre dans une maison de campagne, une « maison secondaire » comme on dit, sauf que celle-ci n'est pas secondaire du tout et que c'est à une cellule de moine que j'aurais voulu qu'elle ressemble, je l'aurais voulue vide, dépouillée, difficile, mais c'est loupé, et maintenant Boris attend les copains en vue de soirées inoubliables et de week-ends improvisés... toute cette joie en groupe... J'ai froid. Je voudrais marcher un peu.

Elle prit le bras d'Élisabeth et elles marchèrent du même pas, elle si petite par rapport à sa compagne, et l'ombre à leurs pieds était mal assemblée, chaotique sur les pierres gelées du chemin.

— Si je te dis que je suis folle, est-ce que tu me crois ? Et elle eut mal à la tête d'avoir osé poser cette question à Élisabeth qu'elle connaissait à peine, mais peut-être cette distance autorisait l'impudeur, abolissait la peur de décevoir. Élisabeth n'était pas déçue. Elle était désorientée par cette franchise un peu crue, est-ce qu'elles n'auraient pas dû bavarder en riant un peu au rythme de la promenade – la fameuse connivence féminine, immédiate et sans gravité ? Mais Clara attendait. Une réponse. Une sincérité.

— Mais pourquoi... ? Pourquoi est-ce que tu dis ça ?

— Parce que mon père était fou. Et mon grand-père aussi.

Il y avait un peu de brume sur les champs vides, le matin tardait à s'épanouir et cette paresse contrastait avec la franchise de Clara, sa provocation involontaire.

— Mon grand-père était milicien. Il est venu au monde pour faire le mal et il l'a fait. Il a accompli ça. Son fils est un être difforme, une sorte d'erreur. Son fils. Mon père. Tu comprends de quelles vies je viens ? Tu me regardes et tu ne vois rien. Personne ne voit. Pourtant ils sont en moi.

Elles entraient dans le petit bois, il faisait sombre, instinctivement elles baissèrent la tête, les arbres étaient hauts et fins, et leur cime se mêlait à la brume. Élisabeth sentait tout contre elle le parfum de Clara, elle était si peu familière, et vulnérable pourtant. Elle percevait son attente, cette parole qui cherchait où se poser.

— Raconte-moi…

Clara ne répondit pas tout de suite. Elle attendit d'être plus profond dans le bois, cachée, presque embusquée, elle attendit que son émotion s'apaise, car elle le savait, pour la première fois, elle allait dire. Elle serra plus fort contre elle le bras d'Élisabeth, pour l'arrimer à elle tout à fait, la tenir tout au long de son récit.

— Mon grand-père s'appelait Robert. Il était fils de paysans et vivait à Cavaillon. C'était… sûrement c'était ce qu'on appelle un pauvre gosse… enfin… un gosse pas très doué, pas très beau ni très intelligent. Il avait appris tout petit à ruser, à mentir, à se faufiler dans le monde des adultes. Son père était alcoolique, sa mère se tuait au travail et ses frères et sœurs étaient si nombreux… un vrai troupeau. Quand la guerre a éclaté, en quarante, il avait seize ans, il vendait ses légumes sur les marchés et notamment sur celui de L'Isle-sur-Sorgues. Là, il avait été… attiré par la fiancée d'un pêcheur, une jeune femme de dix-huit ans à peine, qui tu l'imagines bien n'avait jamais fait attention à lui. Elle s'appelait Isabelle… un prénom qui ressemble au tien… Elle était très amoureuse du pêcheur, mais en quarante-deux, lui, on ne l'a plus revu, il s'était engagé dans la Résistance et Isabelle est restée seule à L'Isle. Pour Robert, mon grand-père, elle est devenue une proie facile. En quarante-trois, il s'est enrôlé dans la Milice. L'uniforme, le fusil, cette virilité minable… Un soir, il est entré chez elle. De force. Soûl probablement. Il a tout saccagé dans la maison et puis… il l'a violée.

Elle croisa ses bras contre sa poitrine, se courba un peu, ne parla plus qu'aux pierres :

— Isabelle a fui L'Isle, on ne l'a plus revue. Une nuit du mois d'août quarante-trois, mon arrière-grand-mère n'était pas couchée, elle a entendu gratter à la porte et puis gémir. Les chiens ont aboyé. Elle a pris le fusil et elle est sortie. Sur le seuil de la maison il y avait un paquet... mon père. Un bébé avec ces simples mots : « Pour le milicien. » La famille aurait pu le noyer, comme un chat, comme un rat... mais elle l'a gardé. À la Libération mon grand-père a été fusillé par les résistants.

Elle passa subitement sa main sur sa nuque, la massa un peu, un petit geste saccadé et fébrile. Il y eut un bruit bref, un bruit de feuilles froissées dans un buisson, sans doute un animal effrayé par leur passage. Elle prit de nouveau le bras d'Élisabeth.

— Le temps a passé et mon père a grandi dans cette famille de paysans analphabètes et je ne sais pas pourquoi, par quel miracle, il est allé à l'école. Il aidait aux champs, tu imagines bien, et la nuit, quand tout le monde dormait, il étudiait. Il voulait se sortir de là, s'extraire de la bêtise, de l'alcoolisme, et peut-être la famille aussi avait hâte qu'il s'en aille, il n'était pas des leurs, il ne leur ressemblait pas, c'était simplement une bouche de plus à nourrir. Ils l'ont laissé partir faire ses études à Avignon, pour les payer il gardait des chantiers la nuit, il ne s'intéressait à rien d'autre qu'au travail, son obsession. Il a fait une école de commerce et il a repris en Normandie une fabrique de conserves de petits pois en dépôt de bilan. Et ça a marché. Il a ouvert d'autres usines, et il a fait fortune. Il s'est marié. Un an après son mariage, il ne quittait plus son lit... sauf parfois pour le repas du soir... ou pour aller se pendre à la cave... se trancher les veines dans la baignoire... Ma mère a fait tourner les usines, la maison et la domesticité, et dans la foulée, elle m'a élevée.

Elle s'assit sur une petite roche. Essoufflée. Ébranlée. Ces vies en quelques phrases. Cette douleur résumée. Élisabeth s'accroupit pour être à sa hauteur, voir l'exacte couleur de ses yeux, leur exacte expression.

— Je ne pense pas que tu sois folle. Je ne pense pas que ce soit l'âme du milicien qui t'habite, mais celle d'Isabelle – où est-elle aujourd'hui ?

— Elle est morte.

— Comment le sais-tu ?

— Je le sais, c'est tout.

Noirs. Les yeux de Clara étaient noirs, d'une noirceur sans appel.

Elles sortirent du petit bois. Silencieuses. Recueillies. Accordées à présent à cette aurore prudente et à ce jour réservé.

Par lassitude, Éric Saint Clair envoya le scénario à Élisabeth. Depuis trois mois Benoît Fournier le harcelait pour qu'il le fasse parvenir à la jeune femme, mais ce premier film sans budget, à l'intrigue rocambolesque, Éric l'oubliait toujours, il l'aurait bien fourgué à Élisabeth avec un autre projet plus sérieux, mais ne lui proposer que ça... c'était assez minable.

Pourtant ce matin-là, quand Élisabeth ouvrit la boîte aux lettres, l'enveloppe tomba doucement dans ses mains, comme une offrande, et elle remonta en vitesse pour s'enfermer avec le manuscrit. Elle regretta que Pascal soit à la maison, lire un scénario ou une pièce de théâtre était un acte si intime que la seule présence de quelqu'un à ses côtés était une gêne, presque une entrave.

— Tu travailles à ton bureau ? lui demanda-t-elle pour savoir quelle pièce elle pourrait investir.

— Je ne sais pas encore...

— Je dois lire un texte.

— J'ai envie de toi.

— Je viens de recevoir un manuscrit !

Et pour lui montrer sa détermination elle ouvrit l'enveloppe et sortit le texte. C'était un scénario : *Paris-Casa*... Le titre ne lui disait rien qui vaille... Qui l'avait écrit ? Benoît Fournier. Inconnu au bataillon. Elle sentit la colère monter en elle, et elle ne savait pas à qui elle en voulait le plus – à son agent, qui lui avait griffonné un mot minable : « Un petit projet. Merci d'y jeter un œil », à elle-même, qui l'avait ouvert avec émotion, ou à Pascal et à son regard de chien battu.

— Qu'est-ce que c'est ?

— Un scénar dont Éric me rebat les oreilles depuis deux mois, mentit-elle, agacée et déçue. Il faut que je le lise très vite, le réalisateur attend ma réponse.

Pascal, heureusement, ne poussa pas la curiosité jusqu'à lui demander le nom de ce célèbre inconnu et s'assit à côté d'elle avec une mine confite. Il triturait nerveusement un trombone, vraiment, il n'avait pas l'air d'un homme qui meurt d'envie de s'envoyer en l'air.

— Alors, tu as envie de moi ? demanda-t-elle d'un ton aigu qu'elle voulait léger, et elle balança le scénario dans l'angle de la pièce.

— Élisabeth… il faut que je te parle…

— Non !

Elle s'était entendue répondre, ça avait surgi tout seul, comme on place ses mains devant son visage pour parer un mauvais coup. Son cœur se mit à cavaler, elle eut soif soudain, ses mains tremblaient, est-ce qu'elle avait bien entendu ? Est-ce qu'elle avait bien compris ? Oui. Bien sûr que oui. C'était clair. Et depuis longtemps. Elle souffla un grand coup, entortilla ses cheveux en chignon comme elle le faisait dans ses moments d'intense nervosité. Elle ne savait que faire d'elle-même, que faire de ce qu'elle venait de comprendre. Était-elle en colère, était-elle malheureuse, mortifiée ? Elle n'aurait su le dire. Elle déambulait dans l'appartement, les poings enfoncés dans les poches de son jean, le regard agrandi et elle répétait entre ses dents : « Bon Dieu le salaud ! Bon Dieu de merde le salaud ! » et cela montait maintenant, malgré elle, au rythme de ses pas, cela l'envahissait, et elle rit nerveusement en pensant que là, oui, elle se sentait « habitée » par un sentiment, ça ! elle saurait s'en resservir, elle saurait le recycler... Mais cela l'étouffait à présent, la ligotait tout entière, elle fonça, en une seconde elle fut face à Pascal et lui balança une claque énorme, venue de loin, venue du plus profond de sa révolte et de son humiliation, venue de ces baises minables, de ces dérobades, de ces soirées de solitude et de ces putains de compliments qu'il lui assénait depuis quelque temps, tous ces « Tu étais très jolie ce soir » et autres saloperies. Pascal ne réagissait pas. Ne démentait pas. Ne niait rien. La gifle les avait peut-être soulagés tous les deux.

— Fous le camp ! lui ordonna-t-elle d'une voix grave qu'elle ne se connaissait pas. Mais alors qu'il allait pour sortir, elle le retint violemment par le bras : C'est qui ? Et aussitôt elle s'en voulut. Elle ne voulait pas savoir, elle ne voulait pas que cela soit clair et concret, elle ne voulait pas d'une réalité toute crue, pourquoi avait-elle posé cette question, qui donc avait parlé à sa place ? Et alors ce fut insupportable, ce regard attristé de Pascal sur elle, ce regard affable et condescendant parce qu'il allait lui faire du mal, elle aurait préféré qu'il soit sûr de lui, presque fier, qu'il assume vraiment. Mais il la regardait comme on regarde une infirme et sûrement il raconterait cela plus tard, il dirait à sa maîtresse : Elle m'a fait de la peine, et c'était peut-être pire que d'être trompée, cette compassion, ce regard de pitié qu'il lui lançait.

— Ne me dis rien ! cria-t-elle – et déjà elle se sentait devenir hystérique, et déjà elle était celle qu'elle ne voulait pas être, celle qui perd ses moyens, celle que l'on rend malheureuse, la pauvre femme trompée et égarée. Bon Dieu ! Comment reprendre possession de ses moyens, comment se réintégrer soi-même, se considérer et considérer la situation avec calme et de loin ? Je te déteste ! Je te déteste et je vais te tuer !

Cette fois elle comprit qu'elle ne pourrait pas empêcher les mots de sortir d'elle, elle comprit qu'elle avait le droit d'être insensée, démesurée, folle peut-être. Elle avait droit à la douleur et à l'écœurement, il n'y avait pas de honte à réagir comme les autres, les trahies, les cocues, tellement drôles au théâtre, les femmes flouées depuis la nuit des temps, les mises en concurrence, les mises sur le marché, les matées, les violentées, les battues, les ignorées – sa révolte était une révolte commune, une insurrection, une colère légitime, ah ! quel mot horrible : légitime, utérine, bâtard, et soudain, elle pensa à Isabelle et à Clara, soudain toutes les femmes étaient ses sœurs, sœurs dans l'incompréhension et le dénigrement. Cela l'apaisa subitement, elle venait de basculer dans un autre monde, elle dont la vie jusqu'à présent avait été si paisible, sans précipice et sans vertige, voilà qu'elle faisait maintenant partie du monde des vivantes, voilà qu'elle rejoignait la cohorte des insurgées, des éclopées lucides, voilà qu'elle COMPRENAIT ; voilà que le grand voile d'hypocrisie derrière lequel elle avait vécu depuis des années avec Pascal, tous ces compromis, ce mal qu'elle s'était donné, ces tentatives pour avoir à soi, bien à soi, une vie de famille qui n'était qu'un leurre, voilà que tout cela s'effondrait comme un jeu de cartes. Pascal la trompait et l'abcès était enfin crevé. Elle sourit malgré elle en regardant cet homme qui venait de lui rendre sa liberté.

— Alors ? C'est qui ? demanda-t-elle, plus par curiosité que par rancœur. Et elle s'amusait de le voir empêtré, gêné, avec cette gueule de clebs incontinent et sa

joue rougie, il était mal, mon Dieu comme il était mal !
Elle s'assit pour le contempler, contempler le spectacle de sa déconfiture, comment allait-il s'y prendre ?

— C'est France. France Meynard.

Ce nom-là pénétra en elle comme un poison violent.
Elle s'attendait à tout sauf à ça. Elle était prête à tout
accepter sauf ça : cette idiote, cette éberluée, cette
salope, oui ! Cette foutue salope ! Allons bon, voilà que
ça revenait, la révolte, la grossièreté... Mais vraiment... Vraiment ! Imaginer cette fille en train de
jouir avec Pascal, c'était ! Ah ! c'était ! Et le soir de la
première ! Le soir de la première Élisabeth lui avait
fait des compliments et des sourires, et l'autre qui prenait son petit air ingénu, la pétasse ! Elle posa sa main
sur sa bouche pour se retenir, s'empêcher de parler,
partir en roue libre, se montrer inférieure et vulnérable, mais c'était insupportable, cette fille qui roulait
Pascal dans la farine, qui avait couché pour avoir le
rôle, qui avait les dents qui rayaient le parquet, cette
pute sous son tchador, avec sa diction épileptique et
son cul en feu !

— Tu la sodomises ?

Mais bon Dieu ! pourquoi avait-elle posé cette question, il fallait prendre tout ça de haut, elle le savait, ne
pas tomber dans ces travers, ces questions récurren-
tes : Est-ce qu'elle fait des choses que je ne fais pas ?
et toutes ces évidences qui vous mènent au bord de la
folie.

— Je veux pas savoir ! enchaîna-t-elle très vite. Et
après tout, pourquoi pas France Meynard ? Une mauvaise comédienne qu'il allait se traîner comme un bou-
let, une fausse ingénue qui le larguerait très vite pour
quelqu'un de plus en vogue, qui le laisserait sans
remords se débattre avec sa solitude et sa culpabilité
– car il culpabilisait, cela se voyait, il était loin de faire

son fier, on ne pouvait pas dire qu'il la ramenait, hein, le vieux mari !

— Ça m'est égal ! fit-elle, victorieuse – et parce qu'elle n'avait pas tout à fait fini de se faire du mal, de barboter dans les révélations les plus scabreuses : Ça fait longtemps ?

Et lui, ce saligaud, qui mettait un point d'honneur à dire la vérité, enfin toute la vérité, avec l'espoir hypocrite que cette franchise soudaine rattraperait tout le reste, le laverait de ses mensonges passés, lui, répondit d'une voix claire et assurée :

— Presque deux ans.

Elle éclata de rire, pour ne pas éclater en sanglots. Le chiffre monstrueux, le chiffre terrible se baladait au-dessus de sa tête et partout dans sa vie et alors tout défila dans le désordre et en même temps : l'âge qu'avaient ses filles quand cela avait commencé, les vacances au bord de la mer, les anniversaires de mariage, la bague de ses quarante ans, le troisième enfant qu'il avait eu le culot de lui demander, le temps passé à l'encourager, à réparer ses gaffes avec l'administrateur du théâtre, et les auditions qu'il avait soi-disant organisées pour *L'École des femmes* et dont il revenait épuisé, et si on allait plus loin, cette envie soudaine de monter cette pièce qu'il n'avait jamais vraiment aimée... non ! Mieux valait s'arrêter là, ne plus y penser – mais dans quel monde, dans quel monde avait-elle vécu depuis deux ans ? Que lui avait-il fait vivre malgré elle ? Et comment ne s'était-elle aperçue de rien ? Où était-elle alors, sur quelle planète idéale, dans quelle bulle, quelle inconscience – pour ne pas dire « inconsistance » ? Et c'était à elle qu'elle en voulait soudain, à elle qui s'était laissé berner, qui s'était laissé voler deux ans de sa vie. Deux ans, vraiment ? Et avant France Meynard ?

Elle contemplait, hébétée, silencieuse, l'énorme vide qui s'étalait à ses pieds… ainsi, elle était amnésique de sa propre vie, puisque tout ce qu'elle avait vécu était faux, elle qui croyait vivre en couple alors qu'elle vivait seule, isolée dans les non-dits, les mensonges et les tours de passe-passe.

— Tu vas t'en aller, dit-elle tout bas, presque aphone, comme une dernière volonté.

Elle avait envie de tout nettoyer : sa vie, son appartement, son avenir, tout se mélangeait, tout était incroyablement et stupidement mêlé. Elle avait envie de vivre avec ses filles, de respirer avec elles un air pur, plein de promesses et d'élan, quelque chose de calme et de clair s'ouvrait, quelque chose de doux et de vrai vers quoi elle tendait.

— Tu vas t'en aller, répéta-t-elle comme une certitude, un apaisement soudain.

Et comme il ne répondait pas, elle leva enfin son regard vers lui, vers ce qu'il était devenu, cet être lointain et minable, ce petit bonhomme sans talent et sans grâce, cette tache dans sa vie.

— Mais je t'aime, lui dit-il d'une voix mouillée.

Elle eut un hoquet, un rire nerveux, elle ne voulait pas comprendre la saloperie qu'il était en train de lui asséner. Il répéta doucement :

— Je t'aime. Jamais je ne vous quitterai toi et les filles.

Il lui souriait, un sourire immobile et sûr de lui…

Immédiatement, elle décida de tout réorganiser. Tout d'abord : ne plus jamais dormir aux côtés de Pascal, ne plus avoir à subir une promiscuité, un simple geste d'intimité, une impulsion soudaine, jamais plus elle ne le supporterait, et la violence de cette répulsion la surprit elle-même. Comme elle le trouvait laid à présent – et de fait, le maintien de Pascal avait changé déjà, il se tenait courbé, tassé, il avait une façon presque honteuse d'incliner la tête, et ses fesses ! Elle était étrangement révulsée par ses fesses, elle les trouvait mesquines, rugueuses, poilues, et elle s'étonnait d'y penser si fort, de penser à ça, particulièrement.

Elle fut prise d'une vitalité incroyable, ses forces avaient décuplé et elle modifia sans peine la place de certains meubles, poussant seule bibliothèque et commode, et en une heure à peine elle avait divisé le salon en deux pour y installer sa chambre, elle y avait improvisé un lit de fortune et placé son bureau.

Pascal la regardait se démener dans l'appartement, silencieux et sans étonnement, comme s'il s'était attendu à cela, comme si cela rentrait dans ses plans, et quand elle se laissa tomber de fatigue dans un fauteuil il lui proposa poliment une tasse de café. Elle se méprit sur ses intentions et crut qu'il tentait de racheter sa faute, elle le sentait en état d'infériorité, et refusant le café, elle lui dit qu'elle sortait, qu'elle rentrerait tard, qu'il devrait se charger des filles. Elle ne savait où aller mais tenait à poser de nouvelles marques, dorénavant ils se partageraient les tâches, elle ne ferait plus de concessions, il n'avait plus aucun effort à attendre de sa part. Il accepta sans hésitation, mais son visage fut secoué d'un petit tic nerveux : sa paupière gauche tremblait, puis lentement, d'un pas qu'il voulait non-chalant, il s'approcha du téléphone et composa un numéro.

— C'est moi, dit-il bientôt, et ces deux mots, si familiers, presque intimes, firent sursauter Élisabeth. Elle se tourna vers lui, vivement, comme s'il l'avait lui-même bousculée : Ne m'attends pas ce soir... ne te fâche pas, écoute... je dois m'occuper des filles... non... non, elle ne peut pas. Je lui ai tout dit.

Élisabeth était figée. Glacée. En arrêt devant l'incroyable. Il téléphonait à sa maîtresse devant elle, il la prenait à témoin de leur relation, et lui parlait d'Élisabeth en sa présence ! Ainsi, il pouvait l'emmener loin dans la détresse, il pouvait trouver des armes nouvelles, il était calme et habile dans l'obscène, il y avait des stades de la souffrance qu'il expérimentait sur elle, elle n'en avait pas fini avec lui, pas fini avec l'humiliation et la peur – car il lui faisait peur encore une fois, et ce n'était plus seulement son sourire immobile qui était inquiétant, c'était sa maîtrise de la situation, comme s'il avait déjà vécu tout cela, comme si tuer lentement quelqu'un était pour lui un acte de pure routine.

— Devant les filles aussi, tu téléphoneras à ta maî-tresse ? lui demanda-t-elle avec l'envie de lui crever les yeux, de l'étrangler avec le fil du téléphone, de lui ren-trer la tête dans le thorax.

— Ne mêle pas les enfants à ça, s'il te plaît...

Alors elle comprit que le seul fait de dormir dans le salon ne suffirait pas à la protéger. Il était prêt à la faire passer pour une mauvaise mère, maintenant la vie était contre elle, plus rien ne serait naturel ni spontané, tout prendrait un double sens, tout acte aurait son revers, vivre devenait dangereux.

Elle sut ce qu'elle devait faire, là, tout de suite, sans perdre de temps et sans donner d'explication. Elle sortit, courut dans les escaliers, courut dans la rue, comme une femme poursuivie, une qui sauve sa peau. À l'école, elle demanda à la concierge que ses filles quittent immédiatement la classe, l'autre la regarda par en dessous en cherchant à comprendre ce que cachait cette femme en panique, et préféra l'orienter vers la directrice (décharge, assurance, Élisabeth se heurtait une fois de plus à une résistance nouvelle). Elle comprit qu'il était dans son intérêt de se calmer, une mère doit toujours maîtriser la situation, être lisse et sans aspérité, elle entra chez la directrice comme on entre en scène, en se mettant dans la peau de cette mère-là, le prototype de la femme adulte et passe-partout. Son personnage donna le change et bientôt elles sortirent de l'école, toutes les trois.

Dans le hall de la Maison de la Radio, elles attendirent Clara. Les filles ne posaient pas de questions mais Camille en voulait à sa mère, cette intrusion dans sa vie à l'école lui était insupportable, sortir plus tôt que les autres, avant les autres, était pour elle d'une violence inouïe. Élisabeth était mal à l'aise, ignorant si elle était en train de commettre une énorme bourde ou si elle venait de trouver la seule issue au piège tendu par Pascal. Il serait bientôt quatre heures et demie, il ne trouverait pas les petites à l'école, elle osait à peine imaginer sa réaction, ce qu'il serait capable d'entreprendre alors, avec ce flegme nouveau qui était le sien, cette quiétude absolue. Enfin, Clara apparut dans le hall, elle ressemblait à la jeune femme rencontrée l'autre soir au théâtre – l'exact opposé de celle qui avouait ses terreurs sur le chemin de L'Aigle. Combien de peaux possède une femme ? Pour quelles protections, quelle survie ? Un instant, Élisabeth en oublia ce qu'elle faisait là, puis très vite elle la rejoignit et lui demanda d'un ton précipité si elles pouvaient venir chez elle.

Clara la regarda, regarda les filles, ce trio déboussolé, ces trois vies désorganisées, et comprit aussitôt.

— Tu sais ce que tu viens de faire ?

Élisabeth avait espéré une compréhension immédiate, pas une leçon.

— Abandon de domicile conjugal. Enlèvement d'enfants. Je vous ramène.

Dans l'appartement Pascal les attendait, les attendait tellement qu'il avait fait les courses et préparait déjà le dîner. Il accueillit Clara avec une surprise enjouée, prit les petites dans ses bras en leur murmurant des « Mes amours mes trésors » outrés, elles allèrent se réfugier en vitesse devant la télé, là où on leur fichait en principe la paix.

Élisabeth emmena Clara dans son coin aménagé, on y tenait mal à deux, et déjà elle ne savait plus quelle était sa place dans la maison, l'espace n'était plus à sa mesure.

— Maintenant qu'on a ramené tes filles, on va sortir, et ce soir tu reviendras coucher ici.

Élisabeth n'avait plus ni désirs, ni questions, elle était désorientée, il lui semblait sortir d'une maladie…

ou plutôt y entrer, oui, entrer soudain dans la société des mal portants, des à-côté-de-la-plaque, un clan d'exception.

— Je voulais tellement avoir une vie de famille... J'y ai tellement cru, j'ai fait tant d'efforts...

Et ce mot résonna étrangement en elle... Était-ce vraiment ce qu'elle avait fait ? Des efforts ? Pourquoi ?

— Va prendre une bonne douche, je t'attends. Et maquille-toi aussi, fais-toi belle, je t'invite au Costes.

Élisabeth n'avait aucune envie d'aller au Costes, ce lieu fait pour les bourgeois jeunes, riches et beaux, il fallait être au mieux de sa forme pour dîner au Costes, à la lueur des bougies, dans la fausse intimité des salons rouges, cela lui parut insurmontable, Clara s'amusa de son air désespéré et lui fit signe de passer à la salle de bains.

— Ne te pose pas de questions ! Fais-toi belle et surtout ne pense à rien !

Et c'était ce qu'il fallait faire : un pas après l'autre, sans regarder en l'air, sans risquer le vertige devant la hauteur des sommets, un pas mécanique, comme une respiration. Élisabeth obéit. Allait-elle devenir celle qui ne comprend plus rien, celle que l'on conseille, que l'on console et que l'on plaint ? Elle y penserait demain... car demain rien de tout cela ne serait oublié. Demain ce serait la même réalité.

C'est en attendant Élisabeth que Clara remarqua, abandonné dans l'angle de la pièce, le scénario de *Paris-Casa*. Elle le ramassa avec l'intention de le poser sur le bureau, puis pour faire passer le temps le feuilleta négligemment, lut les premières pages, et reçut le souffle d'une histoire magnifique.

Clara ne s'était jamais faite à l'odeur de l'appartement d'Emmanuel, cette odeur de pisse de chat, d'humidité et de poussière. Elle avait toujours l'impression qu'un reste de repas pourrissait dans un coin, que les canalisations étaient bouchées, c'était une odeur suspecte, des relents de rouille et de putréfaction. Comment ne s'en rendait-il pas compte ? Comment supportait-il cela ? Apparemment, la femme de ménage polonaise qui venait deux fois par semaine profitait de la situation, à moins que rien ne fût récupérable, à moins que cette crasse ne soit si ancienne, si infiltrée que seule la démolition de l'appartement pourrait en venir à bout.

Elle avait fait la connaissance d'Emmanuel Vernaud un an auparavant, un ami lui avait parlé de cet ancien déporté politique qui avait été son professeur de français au lycée Chaptal et qu'il avait retrouvé par hasard chez un bouquiniste. Clara avait d'abord pensé à une série d'entretiens avec Emmanuel qu'elle aurait proposés à la radio, mais c'était mal connaître le bonhomme. Pour commencer, elle avait mis six bons mois à se faire accepter, elle fournissait Emmanuel en livres rares ou épuisés, courant pour lui les bouquinistes, les librairies spécialisées et les Salons du vieux papier ; puis, après ces six mois de courses et de recherches, il lui avait dit qu'il ne parlerait jamais de son expérience des camps, mais qu'il acceptait de lui ouvrir ses archives.

Il y avait, dans une pièce glacée et surchargée qui ressemblait à un long couloir éclairé au néon, des cartons mal empilés, défoncés et poussiéreux, qui contenaient des journaux de l'époque et des écrits d'Emmanuel sur ses activités politiques, sur Buchenwald, et son retour de déportation. Puisqu'elle ne pouvait pas l'interroger, Clara avait décidé de faire un livre à partir de ce qu'il avait écrit, non seulement sur les camps, mais aussi, et surtout, sur le rôle de la police française pendant l'Occupation, car c'était bien elle qui l'avait envoyé à Buchenwald en janvier quarante-quatre, *via* la prison de Fresnes et le camp de Compiègne. Il faut que tout le monde sache, disait-elle. Mais tout le monde sait déjà, lui répliquait Boris, qui avait dressé pour elle la longue liste bibliographique de tout ce qui avait été écrit sur la question. Alors elle lui répétait que ce n'était pas le hasard qui avait mis Emmanuel sur son chemin, qu'elle ne pouvait rester passive face à ce signe terrible, et tous les mercredis matin elle se rendait chez lui, et le rite était immuable : il ne lui « proposait » pas de café, il avait « préparé » le café, un café amer qui refroidissait depuis des heures dans une tasse douteuse, il la regardait avaler cette horreur avec un brin de satisfaction sadique, après quoi, nauséeuse et mal à l'aise, elle pénétrait seule dans le couloir aux cartons.

Mais ce matin-là, elle se rendit chez l'ancien déporté sans enthousiasme, sans réel désir de se confronter aux fantômes du passé. La veille au soir elle avait invité Élisabeth au Costes et elle était encore imprégnée de l'intensité de cette soirée. Sa rencontre avec la jeune femme avait un sens, elle le savait : lorsqu'elle faisait répéter le texte de Pinter à Boris, elle lisait le rôle de Ruth, sa première réplique était : « Il n'y a personne », et elle s'était demandé comment la dire, car c'était si terrible… Dite par Élisabeth sur scène, cette phrase simple, dépouillée, l'avait émue aux larmes. Le lien s'était noué ce soir-là, à la première réplique, à leur insu.

Au Costes, elle avait tenté d'aborder le scénario de *Paris-Casa*, mais Élisabeth ne voulait pas penser à ce projet, elle voulait comprendre l'incompréhensible, ressasser ce qui lui faisait mal, elle était obsédée par une personne sans importance, un être sans consistance : France Meynard. Mais elle ou une autre, c'est pareil, lui avait dit Clara, ne la laisse pas t'envahir, elle ne le vaut pas. Et il avait bien fallu trois coupes de champagne pour qu'Élisabeth baisse la garde, le champagne n'avait-il pas été commandé par Clara pour fêter la fin du mensonge ? On ne peut pas vivre sans la vérité et sans la connaissance ! avait-elle proclamé, un peu solennelle, et ses yeux reflétaient l'éclat des bougies.

Mais ce matin, perdue, hésitante parmi les papiers d'Emmanuel, elle n'apprenait rien sur l'histoire ni sur elle-même, elle ne se sentait tout simplement pas à sa place dans ces souvenirs qui n'étaient pas les siens. Tout cela n'était-il pas fini ? La question du mal absolu, de la folie et de l'hérédité, devait-elle encore se la poser ? Y aurait-il jamais une réponse ? Un sens à tout cela ? Elle s'assit sur un carton, regarda le couloir sinistre, considéra les papiers jaunis, les coupures de presse écornées : qui étaient ces hommes sur les photos ? Ils avaient fait la une à l'époque, ils étaient importants alors… Pétain, Laval, Darnand. Qu'en

restait-il ? Avait-on tiré une seule leçon de la collabo-
ration, de notre empressée et imaginative collabora-
tion ? Qu'allait-elle recueillir de ces longs mois
d'archivage ? Qu'y avait-il d'humain dans ce travail,
qu'y avait-il d'humain chez Emmanuel ? Elle eut envie
d'appeler Boris, de lui confier sa détresse, mais pouvait-
elle l'appeler pour lui rabâcher ses doutes et ses tour-
ments ? Accepterait-il encore, après ce qu'ils s'étaient
dit au Wepler, d'en entendre parler ?

Le couloir était une antichambre. Mais de quoi ?
Un passage. Mais lequel ? Elle prit un vieux journal
presque illisible : réunion du Conseil, traité, table
des négociations... on ne parlait toujours pas d'elle,
ni de son histoire. Et même la photo des miliciens
prêtant serment à Pétain au palais de Chaillot, même
ces uniformes avachis ne parlaient pas de son grand-
père. Qui pouvait lui parler de Robert Mercier ?
Comment ce nom de famille pouvait-il être le sien ?
Comment le XXIe siècle pouvait-il encore en porter
les traces ?

Elle reposa le journal, saisit un paquet de photos,
des photos de groupes sur lesquelles elle distinguait
mal les visages, ne comprenait pas les enjeux, trop
d'inconnus, de combats perdus : défilés, banderoles,
poings tendus... Et soudain, parmi ces clichés un peu
neutres, une photo posée et figée : une jeune femme.
Une jeune femme sur une vieille photo. Elle ressemblait aux héroïnes des années 1940, même coiffure
bouclée retenue en arrière, même petit col pointu
dépassant du gilet sombre, même jupe droite laissant
deviner le mollet et le bas dessiné. Et sur sa jupe, elle
avait posé la main. Elle ne souriait pas, elle fixait
l'objectif d'un regard clair, elle avait simplement posé
la main sur ce qui était le centre de sa vie : l'enfant à
naître. Elle le désignait. Elle désignait que c'était cela

qu'il fallait voir, que c'était cela sa vérité. Clara retourna la photo : rien n'indiquait qui était la jeune femme, elle nota que toutes les autres étaient marquées, sauf celle-là.

Emmanuel entra sans frapper, à son habitude.

— Pourriez-vous aller me chercher de la Ventoline à la pharmacie, j'ai peur d'en manquer ?

Et comme si l'accord de la jeune femme était acquis, il lui tendit l'ordonnance – elle avait l'habitude de lui rendre de ces menus services, « puisqu'il l'avait sous la main », comme il lui disait.

Il n'attendit pas son consentement et s'en retourna d'un pas traînant, un petit bruit épuisé sur le lino poisseux. Elle mit l'ordonnance dans sa poche, regarda encore la photo de l'inconnue... et la photo tremblait entre ses doigts. Pourquoi ? Pourquoi soudain ce sentiment d'impudeur, d'intrusion ? Elle savait qu'Emmanuel avait été marié, puis avait divorcé, et qu'il n'avait pas eu d'enfants. Qui était donc cette femme ? Quelle importance ? Aucune, se répétait-elle, absolument aucune... et pourtant l'émotion l'envahissait, quelque chose se faisait jour, faisait surface, c'était lointain et obsédant, comme ces rêves essentiels qui vous échappent dans le réveil. Alors elle mit la photo dans sa poche, enfila son manteau, prit son sac et sortit de l'appartement en claquant la porte. Oui ! Elle avait claqué la porte, cela la fit rire comme une enfant. Oh ! qu'elle détestait au fond d'elle-même le vieux bonhomme, le vieil avare, ce desséché, ce presque mort.

Elle s'arrêta sur le trottoir, sortit un stylo de son sac et écrivit au dos de la photo, d'une écriture maladroite et hâtive : *Isabelle*. Voilà ! C'était cela qu'il fallait faire, maintenant elle le savait, rien d'autre que cela n'était réel : il fallait retrouver Isabelle, Élisabeth avait raison, Clara venait de cette femme-là, aussi, de cette femme-là, surtout !

Et elle marcha dans Paris, longtemps, vite, comme si elle voulait en atteindre et en repousser les limites, comme si elle voulait épuiser le trop-plein d'énergie et d'impatience qui la submergeait.

Arrivée à l'île Saint-Louis elle s'arrêta sur le pont Marie, transpirante sous ses habits d'hiver, et son souffle saccadé lançait une petite brume devant son visage rougi. Elle déchira en minuscules morceaux l'ordonnance au nom d'Emmanuel Vernaud, les confettis blancs tombèrent dans la Seine. « Plus besoin de Ventoline pour respirer ! Plus besoin d'aucun médicament pour respirer ! Plus besoin de Ventoline ! » répétait-elle comme on lance une incantation.

Et quand ce fut fini, un grand calme se fit en elle. Alors, elle regarda l'eau du fleuve, cette eau sombre qui semblait stagner mais qui avançait pourtant et qui rejoindrait la mer, avec une lenteur et une assurance dont rien ne pourrait la détourner.

Cette fois il ne s'agissait pas de Monsieur, mais il fallait faire vite, Boris venait de recevoir un appel d'Irène, il se passait quelque chose de grave, elle l'attendait, elle ne pouvait pas rester seule, qu'il se dépêche donc !

Quand il entra chez elle, Boris la regarda des pieds à la tête, jeta un coup d'œil circulaire dans l'appartement : tout était à sa place, tout semblait habituel... mais Irène avait pleuré. Ses yeux étaient encore rouges et elle triturait un grand mouchoir à carreaux de ses mains maladroites.

Il prit volontairement son temps avant de lui demander ce qui se passait, certain qu'un peu de bon sens suffirait à atténuer sa panique. Elle le regarda avec une tendresse un peu triste, et cet apitoiement soudain l'inquiéta.

— Mon pauvre petit...

Alors, seulement, il pensa à Clara – ou plutôt Clara s'imposa à lui, avec violence, avec effarement, comment n'avait-il pas deviné qu'il s'agissait d'elle, comment ne s'était-il pas alarmé de ne plus avoir de ses nouvelles depuis le Wepler ?

— Où est-elle ? demanda-t-il, et la présence d'Irène qui venait de se rapprocher lui fut insupportable, il ne voulait pas de ménagement, il voulait la vérité.

Elle lui tendit un petit carton blanc recouvert d'une écriture qui n'était pas celle de Clara, il le nota tout de suite, sans savoir s'il devait s'en réjouir ou non. *Marius Monier est en gériatrie à l'hôpital Tenon. Venez.* Durant quelques secondes il ne se souvint pas qui était ce Marius, ce nom qui venait soudain d'effacer celui de Clara.

— Ton père est vivant, Maurice...

Son père ? Qu'est-ce que ça venait faire là ? Il relut le carton. Bien sûr, il s'agissait de son père ! Mais il avait plus l'habitude de son pitoyable nom de scène que de l'autre, ce vieillot « Marius Monier » ! Quelle blague, quelle calamité !

— C'est ça ta grande nouvelle ? C'est pour ça que je m'inquiète depuis tout à l'heure ? Mais tu es folle, ma pauvre vieille ! Est-ce que tu imagines seulement tout ce qui a pu me passer par la tête ? Apparemment le vieil Henry Ancord a fini de se marrer, et alors ? Ça te fait trembler qu'il soit en train de mourir à l'hospice, hein ? Tu as peur de quoi ? De quoi, bon Dieu de merde ?

Irène avait l'habitude des colères de Maurice, depuis qu'il était né il faisait des colères, quand il était petit elle lui servait du lait chaud avec du miel pour le calmer, maintenant elle se contentait de hausser les épaules en attendant que ça passe, mais elle se demandait comment Clara supportait cela.

— Tu l'as reçu quand ? lui demanda-t-il en lui brandissant le carton sous le nez, comme si elle était coupable d'avoir ouvert le courrier.

— Ce matin, évidemment... Il est en vie, tu te rends compte ? Plus de quarante ans que je n'avais pas entendu parler de lui. Ce n'est peut-être pas lui qui a écrit, c'est signé, mais je ne comprends pas par qui... d'ailleurs je ne comprends rien, mais il faut que tu y ailles, il a sûrement des choses...

— Des choses à me dire, c'est sûr, Petite Mère, un testament tout chaud et un héritage fabuleux, les royalties sur ses milliers de disques jamais enregistrés et ses remords de papa agonisant ! Je l'ai accepté comme un artiste original et insouciant, un raté merveilleux, mais un vieillard à la mauvaise conscience, très peu pour moi !

Elle eut envie de le serrer contre elle, de poser sa main sur sa tête de bois, est-ce parce qu'il avait grandi sans ses parents qu'il avait gardé une telle fragilité ? Elle se faisait du souci pour lui, elle s'en ferait toujours, car il n'était jamais satisfait, toujours entre deux rôles, entre deux peurs, et tant pis s'il la repoussait, elle alla à lui, doucement, comme on approche un jeune cheval, sans gestes brusques, sans à-coups, et elle posa sa main sur ses cheveux si doux et clairsemés déjà. Il eut un bref mouvement de recul, puis il la regarda avec rancune, mais cette rancune n'était pas pour elle, elle le savait bien.

— Si j'avais la foi, je te bénirais et je t'ordonnerais d'y aller.

Cela le fit rire un peu, un rire comme un soupir, une acceptation. Quelle glu, cette Irène, quelle entêtée, mais parfois ça lui faisait tellement de bien d'être regardé par elle, regardé comme l'enfant qu'il n'était plus, avec cette indulgence et cet amour qui n'exigeait rien. Il ne savait pas s'il le ferait pour elle ou pour lui-même, mais il savait qu'il irait. Par rancœur, par désespoir, par pure curiosité, sans raison peut-être, mais il irait.

Entrer dans l'hôpital. Comme on entre dans l'ailleurs, un ailleurs inconnu où tout peut arriver. Entrer dans l'hôpital et tenter de s'y repérer. Demander. Chercher. Trouver. Le bon bâtiment, le bon service... le bon malade. « Ne pas se tromper de personne », se répétait Boris, qui ne savait pas qui il venait voir au juste, ce qu'il attendait de cette rencontre, si seulement il attendait quelque chose, si seulement la rencontre aurait lieu. Il était tendu vers cette énigme, ce Marius-Henry, ce Monier-Ancord, ce farfelu dont il ne savait même pas s'il avait rendu sa mère heureuse et s'il lui avait légué quelque chose, à lui... la couleur des yeux ou celle de la peau, une façon de bouger ou peut-être de se taire, ou simplement ce désir de la scène ? Cet ange qui l'avait accompagné sans le savoir, cet Angelli sur son épaule, pourquoi prenait-il soudain corps ? Pourquoi ne pas avoir laissé Boris tranquille avec son rêve, lui qui s'était accommodé de l'absence bien plus facilement que de cette présence soudaine ?

L'hôpital sentait le désinfectant et cette fausse odeur de propreté le prit à la gorge. L'hôpital est plein de produits censés lutter contre la mort, mais il est assailli par les maladies, les infections et la gangrène, la merde et le sang s'y marient à la douleur. Boris perçut tout cela en longeant les longs couloirs anonymes.

Il s'attendait à tout, à tout et à rien, on allait sûrement lui désigner un vieillard dans un lit et ce vieillard serait son père.

Il n'eut pas besoin de lire le panneau à l'entrée du service pour comprendre qu'il était arrivé en gériatrie hommes. Des êtres à moitié cassés, à moitié vêtus, s'y déplaçaient comme des ombres. Son père était peut-être ce vieillard courbé et tremblant sur un fauteuil roulant poussé par une jeune fille pressée ? Ou bien cet autre, un peu plus loin, qui s'accrochait à la rampe, son pyjama taché ne lui recouvrant pas entièrement les fesses ? Il regarda les portes qui bordaient le couloir gris, cherchant l'infirmerie. Et si je fuyais, se dit-il soudain, si je fuyais sa mort, lui qui a fui ma naissance ? Si je racontais à Irène que j'ai rencontré un superbe septuagénaire, tout propre, tout rose, qui attendait pour expirer de m'avoir tenu la main, et dont le dernier soupir se confondrait avec un « Je t'aime » rédempteur ? À quoi bon abîmer le mythe, rogner les ailes à la cohorte Angelli… ? Mais, mon petit gars ! tu as beau faire, tu as beau dire, tu n'es pas né d'un ange ! Tu es né d'un orgasme joyeux sans pilule ni capote, tu es né d'un homme heureux qui s'est soulagé dans ta mère et qui s'en est reparti en sifflotant et sans se retourner. Et c'était cela, sûrement, qui effrayait Boris, cette banalité tellement humaine. Il s'était toujours considéré comme un être au destin exceptionnel, se sentant parfois supérieur à ses copains, lui, l'orphelin, le fils d'artiste, la poussière d'étoile. Et aujourd'hui, il serait semblable aux autres, il sourirait à un vieil homme édenté, il lui tapoterait la main sans même oser s'asseoir à ses côtés, par dégoût, par lâcheté ? L'hôpital est le lieu de l'égalité impitoyable. Tous égaux. Tous en souffrance et en partance. Les fils regardent mourir les pères et les pères regardent souffrir les fils, c'est dans l'ordre des choses.

Il trouva enfin le bureau des infirmières. Une stagiaire (c'est ainsi que la désignait le petit badge sur sa poitrine), une stagiaire nettoyait un chariot à pansements. Il la regarda. Elle était la messagère, celle qui allait lui indiquer la chambre, le numéro, le père à venir.

— Vous cherchez quelque chose ? Sa voix était douce, presque timide.

— Je cherche quelqu'un…

Elle tendait vers lui un visage interrogateur, alors il serra fort les poings dans ses poches et prononça le mot lointain :

— Marius Monier.

Elle eut l'air étonnée. Visiblement, ce nom-là ne lui disait rien. Elle en fut gênée, rosit un peu, s'essuya les mains pour regarder dans un grand cahier, répétant tout bas pour elle-même : « Marius Monier Marius Monier Marius Monier... » et cela ne voulait plus rien dire. Le cœur de Boris allait éclater, c'est sûr, ses artères et ses veines allaient céder sous la pression, comme un barrage qui lâche.

— M. Monier est décédé ce matin, je suis désolée, dit-elle d'une petite voix cassée, pas encore habituée visiblement à annoncer ce genre de nouvelles – et parce que c'était en général ce qui précédait les condoléances : Vous êtes de la famille ?

De la famille ? Boris hésita, chercha une aide en regardant autour de lui... un placard à médicaments ouvert, des seringues pleines de sang, des cartes postales scotchées au mur... Elle répéta :

— Hein ? Vous êtes de la famille ?

Bien sûr ! « De la famille » ! Transfert du corps, obsèques, caveau et tout le tintouin, voilà ce qu'on allait lui mettre sur les bras, le dossier Monier, direction la morgue et les papiers à signer, c'était donc ça le but de la missive : ramassage des objets encombrants ! Et lui qui avait imaginé que son père l'avait réclamé ! Quel innocent, quel bébé plein d'illusions ! Quel con, oui !

— Non. Je ne suis pas de la famille.

Il se détestait et détestait cette fille si jeune qui travaillait dans un service de vieux, il détestait cet Henry Ancord qui avait raté sa sortie, il détestait sa vie et l'univers tout entier, il tourna les talons et sortit, heurtant un grand type encombré de dossiers. Il étouffait sous le poids de l'injustice et de la déception, ainsi il avait simplement eu rendez-vous avec la mort, la maudite carte du tarot était encore sortie pour lui, un signe qu'il vivrait toujours sous le règne de l'absence et de la fuite.

Oh ! comme il aurait voulu maintenant rencontrer le vieil homme qui aurait été son père, lui dire bonjour et au revoir en même temps, lui chanter une chanson de Chevalier, comme tout Maurice qui se respecte...

— S'il vous plaît ! S'il vous plaît !

Allons bon ! On lui courait après, on voulait vraiment qu'il se charge du cadavre, mais lui il n'en pouvait plus de tous ces cadavres, lui ce qu'il voulait c'était faire un enfant et l'élever, l'élever vers les hauteurs, pourquoi le poursuivait-on dans ce service funèbre ? Le grand type aux dossiers, celui qu'il avait heurté en sortant, était à sa hauteur.

— Excusez-moi. Est-ce que vous connaissez Maurice Pichon, le fils de M. Monier ?

Tout cela était misérable. Boris eut presque envie de rire, ah bon Dieu, quelle farce ! Maurice Pichon ! Ah non, Maurice Pichon, connais pas, paraît que c'était un gamin élevé par sa grand-mère, un nourri par Citroën, un petit prolo solitaire... connais plus. Et lui, ce type en blanc, qui était-il ? « Régis Noé. Externe », lut-il sur le badge, le fameux badge qui les étiquetait tous pour qu'on s'y repère dans la hiérarchie, la pyramide hospitalière. Externe ? Lui aussi aurait bien aimé l'être, « externe », extérieur à tout, hors du coup, étranger à cette mort du matin.

— Comment savez-vous qu'il a un fils ?

Il se sentait prêt à casser la gueule à ce type, à le rendre responsable de son écœurement et de sa détresse.

— Je peux vous parler un instant ? osa le fameux Régis.

— Je suis très pressé.

— Je comprends...

Il baissa la tête, il semblait ennuyé, tiraillé entre le secret médical et la confidence, entre la gaffe et l'aveu. Et soudain, Boris eut envie de savoir.

— De quoi est-il mort ?

— Vous êtes de la famille ?

Décidément c'était pire que la mafia ici, est-ce qu'ils connaissaient aussi le mot « ami », le mot « amour » et tous les autres liens qui unissent hors de l'état civil ? Mais l'externe avait envie de parler, de parler de Monier à quelqu'un.

— Il est mort d'une embolie pulmonaire. Au début de l'automne il est entré pour une mauvaise bronchite, et puis… à force d'être alité, vous comprenez, évidemment… avec la vie qu'il a eue…

Et voilà. On lui lâchait des petites bribes, on lui glissait deux trois mots censés éveiller sa conscience, mais cela ne faisait qu'obscurcir un peu plus les contours du personnage.

— Je comprends, dit Boris qui comprenait de moins en moins.

— Son organisme était usé, ça oui… En tout cas, tout le monde ici l'aimait, il mettait de la joie partout où il était, c'était un homme…

Mais l'externe ne trouva pas le qualificatif et Boris comprit seulement qu'il était jaloux, jaloux de ce type qui avait aimé son père à sa place et qui avait pris de lui peut-être le peu d'affection qu'il avait à donner en retour.

— J'ai écrit à son fils, Marius se souvenait qu'il vivait place Clichy, j'ai trouvé l'adresse exacte sur le minitel.

Quelle misère ! On avait tapé 36 11 et on lui avait écrit, comme tout cela était poétique et apaisant ! Et l'autre tache qui l'appelait « Marius », comme s'ils avaient fait la guerre ensemble !

— Si vous voyez son fils, dites-lui que les compagnons d'Emmaüs enterreront Marius au cimetière du Père-Lachaise jeudi matin à dix heures.

— Les compagnons d'Emmaüs ?

L'externe considéra Boris avec méfiance :

— Mais, vous savez sûrement qu'il faisait partie de leur communauté depuis plus de vingt ans... non ?

Et il regrettait déjà d'avoir perdu son temps avec ce garçon qui non seulement n'était pas de la famille, mais visiblement débarquait là par hasard et n'avait aucun lien avec Marius, la mascotte du service. Il haussa les épaules et s'en fut retrouver ses dossiers – examens, pronostics et protocoles.

Alors Boris resta là, avec ses questions, ses terribles questions qu'il ne poserait plus jamais à personne : est-ce que son père le connaissait ? L'avait-il épié parfois à la sortie de l'école ? L'avait-il regardé à la télévision, applaudi au théâtre ? En un mot : est-ce qu'il l'aimait ?

Mais cela était enfoui en lui comme une racine profonde, imprimé dans sa chair comme un cri, et il demeura muet, interdit au fond du couloir du service de gériatrie hommes, perdu comme un enfant étourdi qui a lâché la main paternelle dans la foule... mais le couloir était désert, Boris n'était plus un enfant, et il n'avait jamais tenu la main de son père.

Boris n'alla pas à l'enterrement. Il ne voulait pas entendre l'hommage rendu à cet homme qui l'avait abandonné, il ne voulait pas voir des inconnus pleurer devant son cercueil, et de plus il le savait, s'il y avait un étranger dans la foule, ce serait lui, et lui seul.

La veille de l'enterrement il avait téléphoné à Clara. Il avait besoin qu'elle soit à ses côtés le jeudi à dix heures, qu'elle l'amène lentement jusqu'au jeudi onze heures, jusqu'au jeudi midi, et que tout soit fini.

Quand il la fit entrer ce matin-là, il remarqua comme elle était belle... Depuis combien de temps n'avait-il plus été surpris par sa beauté, comment avait-il pu s'y habituer si facilement ? Elle était belle mais un peu lointaine, elle s'assit au salon comme une invitée, elle faisait des efforts pour paraître à l'aise.

— Ça t'a dérangée peut-être de venir ?

— Je crois que j'aurais préféré aller à l'enterrement avec toi.

— On ne revient pas là-dessus, dit-il pour mettre les choses au clair, très vite, avec une autorité fébrile.

Et parce qu'ils avaient tant de choses à se dire, parce qu'ils ne savaient plus comment s'y prendre, parce que l'édifice était fragile et qu'ils ne s'étaient pas vus depuis une semaine, le silence se fit entre eux.

Alors, Clara sortit de son sac la photo de l'inconnue et la tendit à Boris. Il la regarda sans comprendre, lut le nom au dos, la retourna encore...

— Je n'irai plus chez Emmanuel.

Loin de le réjouir, cela lui parut suspect. Lui qui s'était toujours méfié du vieux lascar, il était maintenant sur ses gardes. Pourquoi cette lubie, cette décision soudaine ?

— Et le livre ? Tu vas écrire le livre ?

Elle hésita. Ce n'était pas vraiment de cela qu'il s'agissait, ce n'était pas la question qu'il aurait dû poser, elle en fut déçue, presque agacée.

— Mais quelle importance, le livre ?

Il éclata de rire, il était soufflé. Ainsi, depuis un an elle lui rebattait les oreilles avec ce livre sur la Milice, avec ce vieux communiste sans combat, cet ancien déporté sans mémoire, et maintenant elle osait lui dire, d'un petit ton condescendant, que cela n'avait pas d'importance ! Il se leva et partit faire du café.

Il n'avait rien dit sur la photo. Sans doute il avait mal pris la chose, songea Clara, sans doute il était maladroit de sa part de lui avoir montré cette femme enceinte, cela l'avait blessé, elle s'en voulait et le rejoignit dans la cuisine.

— Comment va Irène ? demanda-t-elle pour ne plus parler d'eux, ne plus se sentir si étrangement éloignés.

— Cette histoire l'a bouleversée. Je la sens fragile, elle m'inquiète un peu. Tu sais ce que j'aimerais ? Trouver quelqu'un qui s'occupe d'elle, lui fasse la lecture, elle y voit de moins en moins, mais le problème c'est que les aides-ménagères sont toujours... si bornées et si... compassées. Enfin, Irène s'emmerde avec elles, il n'y a pas d'autre mot.

Voilà… Ils avaient parlé d'autre chose. Un peu plus vite, un peu plus naturellement que d'eux-mêmes, et cela les avait aidés à respirer.

Maintenant chacun contemplait sa tasse, l'émotion au fond du ventre, mêlée à la pudeur qui les empêchait de se livrer et à la peur aussi que cela tourne mal.

— *Dom Juan*, ça en est où ?

— Ça a l'air de se mettre en place, j'espère seulement qu'il n'engagera pas France Meynard pour jouer Elvire.

— Qu'est-ce que tu fais si elle est prise pour le rôle ?

— Je jouerai quand même, évidemment, le personnage le plus important après Dom Juan, ce n'est pas Elvire, c'est Sganarelle !

Il avait débité cela d'un ton haché, tendu, elle n'avait pas son mot à dire, il assumait ses contradictions.

Ils burent le café, doucement, après avoir longuement tourné la cuiller dans la tasse, cela faisait un petit bruit solitaire dans le salon et Boris se leva pour mettre un disque. Il prit soin de choisir une musique sans souvenirs communs, et il passa le dernier Idir, car ils ne l'avaient pas encore écouté ensemble. Mais Idir était nostalgique et déchiré, ses musiques parlaient d'un ailleurs perdu, alors ils parlèrent de nouveau pour couvrir les mélodies.

— Ton père ne chantait plus, alors… Je veux dire… son nom de scène… l'hôpital ne le connaissait pas sous son nom de scène ?

Il comprenait qu'elle tentait de sauver la situation et qu'elle y allait sur la pointe des pieds, cette maladresse était touchante, un peu encombrante aussi. Il ne voulait pas s'attendrir. Il ne voulait pas réfléchir à la personnalité de son père, essayer de recoller les morceaux comme un inspecteur rusé, il savait que la vérité lui échapperait toujours et qu'il ne s'y reconnaîtrait pas.

— Le passé ne m'intéresse pas.

Elle crut qu'il faisait allusion à l'enfant, que c'était cela qu'il voulait mettre au clair, aller au bout de ce qu'il avait initié au Wepler. Elle reposa la tasse qui tremblait dans ses mains. Ne pas pleurer, surtout ne pas pleurer, elle était là pour le soutenir pendant qu'on enterrait son père, mais la boule au fond de sa gorge la serrait comme une main, la guitare et le violoncelle se mariaient à la voix douce et haute du chanteur kabyle et elle eut envie de se coucher au pied des instruments et de se laisser aller au chagrin. Cela ne se faisait pas. Même face à l'homme qui était son amant depuis cinq ans ?

— Je ne veux pas te perdre, Clara…

Elle aurait préféré des mots neutres. Elle mordit sa main, elle se faisait violence pour ne pas voler en éclats comme un vitrail brisé. Il fallait rester entière. Solide.

— Je peux avoir un enfant avec une autre femme et… et ne pas te perdre.

— Arrête ! La force de son cri la fit se lever et la surprit elle-même : Arrête ! N'essaye pas d'inventer n'importe quoi pour t'en sortir. On ne fait pas un enfant avec une femme en vivant avec une autre, ou même avec les deux, ne me dis pas que tu serais capable de t'accommoder de ça, ne me dis pas que tu ne vaux pas mieux que tous ces types qui s'arrangent des situations les plus tordues, vous êtes tous des serpents, des rampants, des tricheurs et des assassins !

Et maintenant plus rien ne pouvait l'empêcher de parler, plus rien ne pouvait contenir sa colère, elle en voulait à Boris et elle en voulait à Pascal, elle confondait ce que subissait Élisabeth et ce qu'envisageait Boris, et aussi, et surtout, elle haïssait cet enfant qui n'existait pas, mais qui la détruisait déjà.

— Vas-y ! Plante ta petite graine, fais un enfant, et enseigne-lui la lâcheté et le compromis, dis-lui comment tu as confondu sa mère avec un garage, comment tu as couru d'une femme à l'autre, tiré un coup à droite, un coup à gauche, un coup productif et un coup pour rien, comment tu as flatté la jument et rassuré la stérile, comment tu as ménagé l'ancienne maîtresse et la nouvelle génitrice, et puis éteins ce disque insupportable !

Son pied cogna violemment dans la sono, Boris bondit, qui jusque-là avait subi sa fureur sans réagir. Il la prit par le poignet, la soulevant presque du sol, il ne lui avait jamais fait de mal et cette brutalité la fit pleurer. Enfin. Il la lâcha et elle se laissa tomber, comme s'il avait coupé le dernier fil qui la reliait à la terre.

Elle sanglotait à présent, ramassée sur elle-même, la tête entre ses genoux pliés, et ses longs cheveux la recouvraient tout entière.

Il la regarda, sans un mot, sans un sentiment – juste avec un peu d'envie : il aurait bien aimé lui aussi exprimer sa douleur, mais il n'avait jamais su pleurer, seulement se mettre en colère.

— Ce que je voulais te dire, Clara, c'est que jamais je ne pourrais imaginer que tu ne sois plus dans ma vie.

Et il fut étonné d'avoir prononcé ces mots-là, étonné de cette souffrance entre eux, d'une intensité nouvelle.

— Je ne veux pas choisir entre un enfant et toi. Je vous veux tous les deux, même si ce n'est pas toi qui le portes. Est-ce que tu comprends ?

Il se mit à genoux devant elle, prit sa tête contre sa poitrine, respira ses cheveux, et pour la première fois il avait envie de se lier à elle, d'être son homme, sa référence, sa seule issue.

— Donne-moi un mouchoir...

Elle n'avait jamais de mouchoir et ses désespoirs les plus profonds se terminaient toujours par cette injonction si prosaïque. Il le lui donna, elle souffla fort dedans, comme un homme, elle y allait sans complexe et il aimait cela, son abandon dans le chagrin – il savait cependant qu'il ne devait pas la regarder, regarder le visage abîmé par les larmes. Il s'assit à ses côtés et lui prit la main, joua avec ses bracelets, sans y penser, un geste enfantin, une habitude.

— Mais alors... Avec qui tu vas le faire, cet enfant ?

— Je ne sais pas. La première jument qui passe, peut-être...

— Tu es un vieux dégueulasse...

Et il sut qu'elle ne lui en voulait plus, même si ce projet de l'enfant à venir devait toujours planer au-dessus d'eux comme un danger.

— Quelle heure il est ?

Il regarda sa montre.

— Onze heures cinq. Tu crois que l'enterrement est terminé ?

— Je ne sais pas, je n'ai pas l'habitude des enterrements. Est-ce que celui-ci était religieux ?

— Sûrement.

— Si l'enterrement est terminé, on peut aller se coucher, tu ne crois pas ?

Il noua ses doigts à ceux de Clara, ses bagues lui faisaient un peu mal. Oui, c'était bien de faire l'amour juste après que son père avait été enterré, et sans le connaître il se dit que peut-être cette idée-là lui aurait plu.

Il se leva, la tenant toujours par la main, et dans la chambre il tira les rideaux pour ne pas voir son visage, comme une mariée orientale, cette Clara secrète, cette Clara pas belle, la seule femme qu'il ait aimée d'amour sans le savoir.

Pour Élisabeth, tout avait changé. Sa vie paisible était devenue chaos, son mari ennemi, ses enfants prétextes à chantage. Souvent quand elle se réveillait elle tentait de faire le point en quelques secondes éclair où tout défilait. Pour commencer, il y avait son lit dans le salon, cette pièce inhabituelle qui chaque matin lui rappelait que quelque chose n'allait pas. Puis défilaient des mots violents : France Meynard, maîtresses, divorce, et la réalité lui tombait dessus. Cette oppression ne devait rien aux songes de la nuit, tout était réel et il allait falloir se lever avec cette vérité-là. Alors, elle enfouissait son visage sous la couette, avec le projet de se lever quand tout serait fini, quand la voie serait enfin libre. Elle aurait aimé passer l'hiver ainsi et laisser le monde gémir alentour, elle se serait volontiers laissée mourir doucement dans la tiédeur de son lit, mais Camille et Élodée venaient chaque matin lui réclamer leur bol de céréales, et le bol de céréales de sept heures et quart la sauva. Le bol de lait froid était le premier geste du matin, après il fallait juste enchaîner, et alors le jour se tenait, implacable, inévitable devant elle, et il fallait tenir pour être à l'heure à la sortie de l'école et servir les céréales de quatre heures et demie.

Ce matin-là, au retour de l'école, elle croisa Leïla chez le marchand de journaux. La jolie Marocaine lisait *Studio* sans se soucier des coups d'œil agacés du patron, elle parcourait consciencieusement les articles, apparemment elle avait tout son temps. Élisabeth arriva derrière elle, lui tapota l'épaule :

— Tu ne travailles pas ce matin ?

Leïla se retourna et lui sourit comme si Élisabeth était la huitième merveille du monde, et rayonnante, elle lui annonça :

— J'ai plus de boulot !

Élisabeth la considéra avec envie. Voilà ce qu'elle devrait parvenir à faire un jour, dire avec cette gaieté et cette lumière-là :

— J'ai plus de mari !

Et elles allèrent se raconter tout ça au bistro d'en face. Il n'y faisait pas très chaud mais on s'y sentait bien, un peu comme dans un bistro de village, c'était le centre du monde, on y débattait des problèmes majeurs : les résultats sportifs et les déboires des vedettes télé. Cette façon de prendre le monde par ce qu'il avait de plus vain, cet aplomb avec lequel les types enfonçaient des portes ouvertes était une manière de ne pas voir la vie qui convenait tout à fait aux deux femmes ce matin-là.

— Ces types sont cons, c'est un bonheur ! dit Elisabeth.

— La première fois que je suis venue boire un café ici, la patronne m'a prise pour une clandestine, elle m'a proposé de m'engager au black.

— Quelle bande de salauds, je te jure ! Alors, eux, je suis sûre qu'ils dorment la nuit… À propos, tu as foutu le feu à l'Hôtel ? Ça va pas plaire à ton éducateur, ça !

Leïla avait grandi dans les foyers d'urgence et les familles d'accueil et jusqu'à ses vingt et un ans la DISS la prenait en charge, mais elle avait peu de temps pour trouver du travail, elle aurait vingt et un ans dans trois mois. Alors ce serait un contrat. Ou la rue. Son rêve était d'être représentante en cosmétiques, passer un CAP de relations clientèle et vendre du maquillage, penser à la beauté et à rien d'autre. Élisabeth s'en voulait, mais au fond elle enviait Leïla, oui, elle enviait cette fille dont l'enfance avait été piégée, mais dont les espoirs étaient si limpides. Elle, ne serait jamais rassasiée. De rien.

Un jeune garçon un peu maigre, petites lunettes cerclées et casquette, entra dans le bar. Élisabeth l'avait remarqué depuis un moment déjà car il sonnait au 19, son immeuble, juste sur le trottoir d'en face, apparemment sans succès et sans avoir le code, car il était resté à la rue. Il regarda Élisabeth avec surprise, avec gêne, elles éclatèrent de rire comme deux adolescentes. Il a le coup de foudre celui-là ! dit Leïla, et il semblait tiraillé entre s'approcher d'elles ou ressortir aussi sec. C'est pas avec la tête que j'ai en ce moment que je peux attirer quelqu'un, glissa Élisabeth qui n'arrivait pas à identifier ce type ému et un peu ridicule.

Il referma la porte avec une soudaine détermination et alla à leur table comme on saute du troisième étage, d'un seul élan et sans respirer. Il sourit à demi à Leïla, tendit une main glacée à Élisabeth et marmonna :

— Benoît Fournier.

Elle jeta un coup d'œil à Leïla, ce nom-là ne lui disait absolument rien...

— Clara Mercier m'a donné votre adresse.

Un journaliste ? Un comédien, peut-être... Un prof de claquettes ! Camille voulait faire des claquettes !

— Asseyez-vous, dit-elle pour apaiser un peu la nervosité du garçon, et subitement elle comprit : Oui ! Benoît Fournier ! *Paris-Casa !* J'ai reçu le manuscrit. Je vais le lire… Je vais le lire, je vous le promets… Et elle pensa que s'il était aussi doué pour diriger des acteurs que pour leur dire bonjour…

Il s'assit, commanda un calva, les deux femmes se firent du pied, il était difficile à prendre au sérieux, il avait une allure à détendre l'atmosphère la plus tendue, à réjouir les plus tristes.

— Je vais vous raconter mon film, hein ? Je vais vous raconter mon film, parce que le rôle principal, c'est vous. Je vous ai vue…

— Non ! Ne me dites pas comme tous les types de votre génération que tout petit vous regardiez chaque soir *Week-end à cinq* et que j'ai bercé votre enfance, ça me démoralise, vous ne pouvez pas imaginer et j'ai fait beaucoup d'autres choses depuis, et beaucoup plus intéressantes, vous pouvez me croire !

Elle entortilla ses cheveux en chignon et le considéra avec impatience, son manuscrit était lié à la scène terrible qu'elle avait eue avec Pascal et elle s'en méfiait instinctivement, comme elle se méfiait de tout maintenant. Lui, toussa un peu, puis fixa passionnément son verre, pour ne plus le lâcher.

— Catherine, votre personnage…

« Mon » personnage ! Il ne doute de rien, je suis sûre qu'il fait partie de ces escrocs qui annoncent leur casting à tout Paris avant d'avoir contacté les acteurs !

— Catherine est professeur de français, divorcée, mère de deux enfants…

Ça y est ! Le psychodrame ! Si Pascal a prévenu Éric de notre séparation, je le tue !

— J'ai l'impression que vous ne m'écoutez pas…

— Je ne peux pas écouter un type qui parle à un verre de calva. En général, les acteurs sont des personnes que l'on regarde, vous savez ça ?

Alors, il la regarda. Un instant, il se tut, il semblait réfléchir. Elle avait mal au crâne, elle était en colère, une colère qui n'avait qu'un rapport lointain avec la situation, elle le sentait et s'en voulait sans pouvoir se contrôler pourtant. Il enfonça un peu plus la casquette sur son front.

— Je recommence...

Deux petites gouttes de sueur apparurent sur ses tempes. Élisabeth sourit. Il souffla un peu :

— Catherine enseigne au lycée français de Casablanca dans les années 1970, sous le règne d'Hassan II. À Casablanca elle fait la connaissance d'opposants au régime, des marxistes, traqués, menacés par la police du roi. Elle décide de les cacher chez elle, au péril de sa vie. Très vite, elle tombe amoureuse de l'un d'eux, Ibrahim, un juif marocain bientôt arrêté, affreusement torturé, puis emprisonné à la prison centrale de Kenitra où il restera plus de seize ans. Interrogée par la police, puis finalement expulsée vers la France, Catherine va combattre durant toutes ces années. Elle épousera Ibrahim en prison, et alertera sans relâche la France sur le sort des détenus politiques au Maroc. Après ces seize années de lutte, Ibrahim est libéré, expulsé à son tour vers la France où il la retrouve. Ils apprennent à vivre ensemble.

Les deux petites gouttes de sueur étaient tombées sur le cou de Benoît Fournier, Élisabeth les regardait avec l'envie d'y poser le doigt. L'histoire de Catherine était une merveille, mais... « Pourquoi moi ? » À chaque rôle proposé, c'était ce qu'elle se demandait. Et à chaque rôle refusé, c'était l'inverse. Pourquoi elle, pourquoi pas elle...

— C'est vrai que vous avez bercé mon enfance avec *Week-end à cinq*, mais je n'ai manqué aucune de vos apparitions au théâtre... des moments précieux. Indéfinissables. J'aime que les acteurs soient inexplicables, trop grands pour les compliments...

— C'est l'histoire de Christine Serfaty et d'Abraham, n'est-ce pas ? demanda Leïla.

Élisabeth ne l'avait jamais vue si grave, elle ne ressemblait plus à sa « petite voisine », mais à une femme mûre, un peu secrète et pudique.

— Vous aurez ma réponse cet après-midi.

Fournier se leva, posa quelques pièces sur la table, les salua en soulevant sa casquette, pour conclure par une pirouette cet entretien sérieux.

Élisabeth avait oublié de lui demander qui était le scénariste. Pourvu qu'il n'ait pas abîmé cette histoire, pourvu que ce projet ne soit pas une galère de plus... Et alors lui revinrent en mémoire les propos de Clara au Costes, l'enthousiasme avec lequel elle lui avait parlé de sa lecture. Alors, peut-être, ce rôle était-il un cadeau...

La maison était éclairée. Un semblant d'intimité. Un faux-semblant. Clara savait qu'à l'intérieur n'y régnaient que le froid et la solitude. Les rideaux étaient tirés et n'autorisaient pas une ombre, une silhouette. C'étaient des vies cachées. La maison lui parut massive, un bloc. Pourtant, c'était ce qu'on appelle « une maison de caractère », une belle demeure normande qui prenait de la valeur avec le temps, oui, c'est ainsi que Clara la vanterait lorsqu'elle la mettrait en vente, quand ses parents seraient enfin morts. Pour l'heure, ils habitaient encore le ventre de la baleine, ils y déposaient leurs odeurs et leurs miasmes, leurs mains moites touchaient les fenêtres et les portes, les fermaient avec autorité, « L'air de la mer est mauvais », disait sa mère avec une mine outragée – elle avait passé sa vie à râler contre ce souffle trop puissant qui menaçait son règne domestique. Les pièces étaient humides, les volets claquaient, il y avait du sable jusque dans la maison, des grains sombres qui s'infiltraient dans le parquet, les baignoires et les lits parfois. Clara se rappela comme elle avait été punie un soir qu'elle n'avait pas ôté ses chaussures avant d'entrer. Elle avait dix ans, sa mère l'avait attrapée par le bras et traînée dans le jardin où elle s'était baissée pour prendre une poignée de sable qu'elle avait fait couler lentement sur la tête de sa fille en lui répétant qu'elle n'était que cela, ce sable, cette poussière, que c'était son seul et véritable avenir et qu'elle lui demandait une chose : ne jamais l'oublier, ne jamais en rapporter dans sa maison, et de fait, Clara n'avait plus jamais omis de se déchausser, et elle entrait chez elle comme on meurt doucement. Comment oserait-elle y entrer aujourd'hui ? La bonne était-elle toujours la même, cette fille de la campagne que sa mère se flattait de dégrossir ? L'éducation par la servitude, l'apprentissage de l'art de la table et de la soumission, comment perdre son accent normand et placer convenablement les couverts à poisson. Mais maintenant la jeune paysanne devait être une femme mûre, sa mère les fichait toutes à la porte dès la première grossesse, elle ne tolérait que les vierges sournoises et ignorantes, la jeune paysanne devait être une autre. Alors ? Comment entrer dans cette maison ? À qui se présenter et comment se présenter ? Et surtout, comment faire parler ces deux médiocres pour qui le mutisme était l'expression la plus haute de la dignité ?

Elle avait froid. Il avait neigé la veille, l'air était compact et glacé, oui la veille il avait neigé sur la mer, mais ce soir elle s'était retirée, il n'y avait plus qu'une vaste étendue de sable, et Clara se rappela combien, adolescente, elle aimait marcher loin sur les traces de l'eau disparue, partir à marée basse et se tenir là où elle aurait dû être engloutie, rester debout sans être submergée, prendre la place de la mer et n'avoir au-dessus de sa tête que la couleur d'un ciel sans repères. Quand la mer revenait, lentement, par vaguelettes grises, il fallait rentrer sans traîner, et alors elle la sentait qui enflait dans son dos, un univers secret était en marche derrière elle, un monde sous-marin noir et glacé – on racontait souvent ces histoires de touristes noyés qui avaient été piégés sur un banc de sable, il n'y avait ni quiétude, ni repos, elle l'avait compris très tôt.

Elle avait froid et elle avait peur aussi, encore une fois elle se demandait comment entrer dans la maison géante... quand la lumière s'alluma au deuxième étage, à la chambre de son père. Il était là. Il vivait toujours. Il n'avait jamais cessé de vivre, dans le même monde, les mêmes saisons, les mêmes heures qu'elle. Il bougeait derrière ces rideaux lourds, il allait prendre ses pilules pour dormir, ses compagnes éternelles, ses amours honteuses. Elle eut envie de crier, demander de l'aide, lancer une pierre qui briserait le carreau, ferait éclater son père et tous ses mensonges. Elle voulait la vérité. La connaissance. Elle avait fêté cela avec Élisabeth, au Costes, elle avait levé son verre en souriant et les hommes s'étaient retournés parce qu'elle était si belle et qu'ils confondaient beauté et bonheur.

La chambre éclairée de son père était un œil immense, un œil jaune dans la nuit. C'était la chambre de l'ogre, le lieu hanté, elle ignorait si c'était le froid ou la peur qui la faisait trembler ainsi mais elle eut terriblement envie de pisser soudain, avec la crainte de faire sur elle, là, devant ses parents, faire juste ce qu'il ne fallait pas faire, ne plus être une femme de trente ans mais un bébé dépendant et sale, un monstrueux bébé de quarante-cinq kilos. Elle remonta son manteau en vitesse, baissa sa culotte, s'accroupit devant le portail de bois blanc et se soulagea, paniquée, grelottante, persuadée qu'ils allaient la voir, que la bonne allait la chasser, la prendre pour une mendiante pisseuse, elle était une honte, une honte sur le seuil de la demeure paternelle.

Le hall de l'hôtel était sombre et silencieux, peut-être n'y avait-il plus que ses parents sur terre, peut-être étaient-ils les derniers représentants de l'espèce humaine.

Par la fenêtre de sa chambre Clara regarda au-dehors, ces kilomètres de sable nu, ce désert humide, ce silence qui allait se rompre dans la nuit, avec ces vagues qui la réveilleraient peut-être au matin. Elle avait l'impression d'être arrivée nulle part, un no man's land, pourtant elle le savait, elle ne ferait pas marche arrière. Sûrement, avec le jour, tout lui paraîtrait moins hostile, ses parents ne seraient plus que deux retraités esseulés à qui elle aurait manqué... Elle éclata de rire, un rire faux. Le téléphone sonna. C'était Élisabeth. Elle s'inquiétait. Elle voulait savoir.

— Je n'y suis pas allée.

— Pourquoi ?

— Parce que. La maison est immense.

— Mais ils savent que tu es là ? Tu les as prévenus ?

— Non.

— Tu penses y arriver ?

— Non.

Il y eut un silence. Puis Élisabeth demanda :

— Tu es où ?

— À l'hôtel.

— Tu as mis combien de temps pour venir de Paris ?

— Trois heures. Un peu moins... Deux heures et demie. Je ne me souviens plus.

Clara se tut. Elle recevait la respiration d'Élisabeth dans le téléphone, ce petit vent venu d'ailleurs.

— Écoute Clara, si je pars maintenant, je suis là dans la nuit, demain j'ai un essayage de costumes à dix-huit heures, si on va chez tes parents demain matin, c'est jouable. Qu'est-ce que tu en penses ?

Elle n'en pensait rien, elle n'en revenait pas, n'avait même pas envisagé que cela soit possible, qu'Élisabeth fasse irruption dans son village, dans la maison de son enfance.

— Je pars maintenant ! Où es-tu exactement ?

— À Coutainville. L'hôtel Neptune.

— À tout de suite.

Et elle raccrocha. Alors, seulement, Clara ôta son manteau et regarda la chambre. Bientôt, Élisabeth serait là. Bientôt, elle parlerait avec son amie. Oui. Elle avait une amie. C'était nouveau. C'était troublant. Quelque chose était arrivé dans sa vie… Une lumière. Un accord. Une main sur son épaule. Et elle le savait, demain, sans ôter leurs souliers, Élisabeth et elle entreraient chez ses parents en se tenant par le bras, fortes, immenses, deux géantes dans une maison de poupée, et elles y déposeraient du sable, un peu de magie dans ce lieu sans grâce.

Élisabeth arriva dans la nuit, à l'heure où la mer remontait. Elles surgirent toutes les deux dans ce silence glacé, cette obscurité humide. Clara n'avait jamais dit ce qu'avait été son enfance. Elle ne le ferait pas cette nuit. Ni aucune autre. La honte mourrait avec elle sans alerter personne. Elle voulait qu'Élisabeth parle d'elle, parle au présent dans cette ville figée dans le passé.

Élisabeth avait pris une avocate, la procédure de divorce était en cours. Pascal refusait le consentement mutuel, niait qu'il avait une maîtresse, mais revendiquait la garde de ses filles.

— Quand il m'a dit ça, je n'y croyais pas. Pourquoi veut-il les petites, pourquoi ? Il ne s'en est jamais occupé, il les a toujours considérées comme des jouets, des accessoires... Il ne sait même pas ce qu'elles prennent le matin, ni à quelle heure elles se lèvent, comment peut-il prétendre s'en occuper ? Est-ce qu'il va les confier à cette pouffiasse ? Mes filles ? Mes filles avec France Meynard, est-ce que tu peux imaginer ça ?

Clara se rappela leur première discussion au Wepler, « On ne retient personne avec un enfant, on se lie à vie », avait dit Élisabeth... Ainsi, c'était le poison lent injecté en même temps que la semence, les chaînes invisibles, la malédiction.

— Ce n'est pas les petites qu'il veut, c'est toi. Il veut être le centre de tes préoccupations. Contrairement à ce que tu crois, tu es son idée fixe et si dans cette histoire il y a, comme tu dis, un « accessoire », c'est France Meynard. Cette fille n'est même pas une passade, c'est un prétexte, un prétexte trouvé pour te faire du mal, Boris m'a raconté comment il la traite en répétition, comme il l'humilie devant les comédiens, tu ne peux pas savoir ! Ce type est un pervers.

Élisabeth aurait voulu ne pas entendre cela. Aussi révoltant que cela puisse l'être, elle aurait préféré que l'instinct paternel de Pascal se réveille soudain, car être tombée amoureuse de lui était une faute qu'elle ne pourrait jamais se pardonner. Elle imposait à ses filles un père mauvais, un homme dangereux peut-être, elle qui avait tellement voulu, tellement travaillé pour que l'enfance leur soit douce, mais soudain cela dérapait, l'enfance changeait de trottoir et les filles étaient témoins de ses scènes avec Pascal, elle ne voulait pas, elle se l'était juré, pas de dispute devant elles, mais la haine était si forte souvent elle ne pouvait plus la contenir et les petites assistaient à ça : la détestation des adultes, les insultes des grands, la rage incontrôlée. Et le visage de Camille et d'Élodée dans ces moments-là, leur regard…

— N'en parlons plus, dit Élisabeth, il faut dormir, être en forme pour demain. Ça va aller ?

Il faisait nuit dans la chambre. Elles entendaient la mer sans la voir et c'était un chant, un rythme africain, lent, sensuel, insistant.

— Ça va aller.

— Tes parents sont si effrayants que ça ?

— Non. Ils sont pires.

Et la mer se fracassait comme avant, quand Clara était petite et qu'elle ne dormait pas, et comme avant elle se fichait d'elle et de ses prières, elle s'arrêtait toujours à la digue, même les nuits de grandes marées, alors que l'enfant priait pour qu'elle engloutisse sa maison.

— Pense à Isabelle, la visite de demain est la dernière étape avant que tu la retrouves, et puis tu sais, les choses ne se passent jamais comme on les avait imaginées.

Le lendemain il faisait beau. On aurait dit que la ville avait été nettoyée dans la nuit tant elle brillait. Le froid était aigu, le vent s'engouffrait dans les petites rues, poussait les passants au cul, et Clara savait que sa mère allait pester contre cet air de la mer qui salirait ses carreaux et ferait claquer ses volets, pester contre ce vent qui lui ramenait sa fille.

La maison était fière sous le soleil, épaisse. Clara poussa le portail blanc, elles pénétrèrent dans le jardin : les buissons épineux, le massif de roses, les dalles en ardoise, rien n'avait changé. À la porte, Élisabeth sourit à son amie et ce fut elle qui sonna. Clara était pâle, plus belle encore avec son air de madone solennelle. Une femme un peu voûtée, aux cheveux teints en blond leur ouvrit. Elle toisa Élisabeth d'un air interrogateur, mais quand elle vit Clara tout en elle se ferma.

— Je viens voir papa, dit Clara d'une voix qu'elle voulait déterminée mais qui ne tenait pas, et sans attendre l'invitation de sa mère, elle entra. Celle-ci, instinctivement, regarda les chaussures et alors Clara lui sourit avec ironie en frappant le sol de ses talons.

— Ton père n'est pas là !

Clara se dirigea vers le grand escalier au tapis grenat, à l'épaisse rampe de bois sombre, faisant signe à son amie de la suivre.

— Tu n'as pas le droit ! hurla la petite dame.

Clara aurait voulu lui répondre, mais l'odeur des escaliers venait de la saisir avec violence, avec elle revenait l'odeur du potage et du chou, des soirs tombés trop tôt, des grogs que la bonne servait à son père, l'odeur aigre des inhalations, l'odeur des dimanches solitaires et des souliers vernis qu'il ne fallait pas salir avec l'interdiction d'aller sur la plage.

Élisabeth prit le bras de Clara, l'entraîna, la mère les suivit, partagée entre la faiblesse du dépit et la force de la colère.

— Le médecin l'a interdit ! Le médecin est très inquiet !

Clara se retourna brusquement, droite, presque raide, désigna sa mère d'un doigt menaçant :

— Ta gueule ! et Élisabeth fut surprise, qui n'avait jamais entendu un mot vulgaire dans la bouche de la jeune femme, était-ce la même qui parlait à la radio d'une voix sensuelle et riait si joliment ? Écoute-moi bien ! Il serait dans le coma que je le réveillerais, il serait dans la tombe que je le déterrerais, il grillerait en enfer que j'irais l'y dénicher, compris ? Ce n'est pas une petite chose comme toi qui m'empêchera de lui parler, et je t'interdis, tu entends ? je t'interdis d'entrer dans la chambre avec nous !

Et après un bref silence où elle sembla reprendre son souffle :

— Fous le camp !

Et alors, l'autre eut peur. La situation la dépassait. Sa fille faisait voler en éclats trente ans de règne et de certitudes, sa fille prenait les commandes, les lui arrachait sans sommation. Elle jeta à Élisabeth un regard paniqué, comme pour l'appeler au secours, la prendre à témoin de cette violence, mais déjà les filles couraient les deux étages qui menaient à la chambre du père. Elle les suivit encore, respirant avec peine, encombrée par son asthme et son effroi.

La pièce était dans la pénombre, il y flottait une odeur aigre, l'urine et l'alcool à 90, l'odeur de la maladie et de la poussière. Le père était assis en robe de chambre, près de la fenêtre, il regardait au-dehors le jardin malmené par le vent, et tourna un regard vide vers les deux filles. Clara alla doucement à lui, c'était un homme qu'elle avait toujours abordé doucement, une pauvre chose malade, déformée, malsaine, un malheureux un peu imprévisible, toujours inquiétant. Il hocha la tête quand elle fut à sa hauteur, elle s'assit sur la chaise en face de lui. Il avait vieilli. Si tôt. Si vite. Son visage presque transparent était strié de couperose et sur ses joues mal rasées les poils blancs se mêlaient aux verrues. Élisabeth remarqua la cicatrice à son cou, regarda instinctivement les poignets, mais ils étaient masqués par les manches. Cet homme-là était le représentant sur terre de la mort. Il l'avait maintes fois expérimentée, elle était sa compagne, jouer avec elle était une habitude, un vice dont il ne se déferait qu'en tombant une bonne fois pour toutes dans ses bras.

Élisabeth entendit le pas de la mère, maladroit mais déterminé, elle prit la commode Louis XV, la tira avant de la caler contre la porte – des médicaments tombèrent sur le tapis taché, gélules rouges et blanches, comprimés roses. Elle se tint debout contre le meuble. Elle gardait la chambre. Le face-à-face improbable.

Clara sortit de son sac la photo de l'inconnue, la tendit au vieil homme. D'une main hésitante il s'en saisit, la regarda, recto verso, la lui rendit, neutre, impavide, alors Clara s'adressa à la photo pour parler à son père. Elle fixait la jeune femme simple qui avait posé la main sur son ventre.

— Parle-moi d'Isabelle.

Il ne cilla pas, sa fille lui parlait de très loin, d'un ailleurs qui ne pouvait l'atteindre.

— Papa, parle-moi de ta mère.

On tambourina à la porte, la commode cognait dans le dos d'Élisabeth, des petits coups secs, des menaces mesquines. Le vieux sembla l'entendre aussitôt, il tourna vivement la tête et Élisabeth reçut son regard, un petit air traqué et veule, et elle comprit qu'il était capable de sortir de sa léthargie, quelque chose, quelqu'un plutôt, pouvait le faire réagir. Clara aussi le comprit.

— C'est à cause de maman. C'est elle qui m'a tout dit. Le premier jour où j'ai eu mes règles elle a estimé que j'étais une femme et que je devais savoir. Tout savoir.

— Ouvre-moi, salope ! Ouvrez, toi et ta gouine !

La commode s'agitait, blessait les reins d'Élisabeth, la mégère avait une force insoupçonnée, la mère trahie voulait reprendre ses droits.

Clara remit vivement la photo dans son sac.

— Écoute, papa, Isabelle est vivante, je le sais. Dis-moi où elle vit et comment elle s'appelle. S'il te plaît.

— Bon…, dit le vieil égaré.

— S'il te plaît !

— Bon…, répéta-t-il, alors Clara lui secoua le bras, son bras maigre et raide – un bois mort.

— Mais dis-moi son nom !

— Laisse-le, murmura Élisabeth, il vient de te le dire.

Clara lâcha son père, elle s'en voulait déjà : pourquoi est-ce que le contact entre eux devait être si violent ? Pourquoi lui donnait-il toujours envie de crier ?

— Elle s'appelle Isabelle Bon, et dépêche-toi, je ne crois pas pouvoir tenir longtemps, ta mère est visiblement shootée à la potion magique.

Elles éclatèrent de rire, leurs nerfs se relâchaient, ces deux vieillards sadiques étaient pathétiques, mais soudain le père saisit Clara au poignet. Il avait des doigts gercés, lui qui ne sortait jamais, une main creuse, cireuse.

— Elle est à L'Isle-sur-Sorgues, mais qu'est-ce que tu crois ? souffla-t-il avec haine. Qu'est-ce qu'elle t'a dit ta mère, hein ? Qu'est-ce qu'elle a inventé cette pute ?

— Laisse-moi ! – elle avait envie qu'il parle pourtant. Qu'il raconte enfin. Mais pas comme ça...

— Qu'est-ce qu'elle t'a baratiné, hein ? Sais-tu que moi, j'ai appelé ma grand-mère « maman » toute mon enfance ? Moi aussi j'ai grandi dans le mensonge, je n'ai su l'histoire de L'Isle que lorsque j'étais déjà patron et marié. Oui, oui, je vais te le dire : un jour je suis allé à l'enterrement de celle que je prenais pour ma mère et celui que j'appelais « papa » était encore plus bourré que d'habitude et m'a révélé toute l'affaire, alors moi, en rentrant ici...

Et il passa un doigt tranchant le long de sa gorge.

Clara le regarda au fond des yeux. C'était la première fois. C'était la dernière fois. Elle lui disait adieu mais il ne le savait pas.

Jamais Boris n'aurait pensé qu'elle le ferait souffrir ainsi. Jamais il n'aurait pensé être jaloux. Et d'une femme ! Il sentait ce que son dépit et sa colère avaient de ridicule, pourtant cette relation entre Élisabeth et Clara, cette union qui ne devait peut-être rien à l'attirance physique était pour lui une véritable menace. Il aurait voulu se contrôler, ne pas se montrer aussi mesquin, être au contraire celui qui comprend, qui encourage et regarde évoluer cette amitié avec une admiration amusée. Ce n'était pas le cas. Que Clara dîne au Costes avec Élisabeth, l'invite dans ce restaurant où il lui avait avoué son désir – leur premier tête-à-tête –, il l'acceptait. Qu'Elisabeth se rende à L'Aigle, il l'acceptait aussi. Il s'était dit que peut-être Clara avait décidé que le lieu devait enfin s'ouvrir aux copains, mais il aurait préféré être là, se sentir le maître de maison, celui qui sert du bon vin et fait visiter les alentours. Mais que Clara choisisse Élisabeth pour retourner dans le village de son enfance et affronter ses parents après douze ans d'absence, c'était… ! Plus qu'une trahison : une exclusion. Est-ce qu'elle avait seulement hésité entre Élisabeth et lui, et qu'est-ce qui l'avait retenue ?

— Réfléchis deux secondes Boris, je ne pouvais pas aller chez mes parents avec un homme, je ne pouvais pas me présenter en couple, tu sais bien comment ils nous auraient jugés !

— Et qu'est-ce que ça peut faire ? Depuis quand leur opinion t'importe ?

— Depuis toujours, je crois.

Il comprenait. Il connaissait cela. Cette reconnaissance impossible.

— Clara, je sais que tu ne fais rien au hasard, alors pourquoi y être retournée maintenant ? Hein ? Pourquoi juste maintenant ?

— Le jour de l'enterrement de ton père, je t'ai montré une photo que tu n'as même pas regardée.

Et voilà. Comme d'habitude il y avait un signe qu'il n'avait pas décrypté, un faux pas qu'elle ne lui avait pas pardonné. Ce petit jeu commençait à être lassant.

— Clara, est-ce que tu peux comprendre que ce jour-là je n'avais pas spécialement envie de feuilleter des albums photos ?

— N'essaye pas l'ironie.

Il avait envie de gueuler pour que tout s'arrête : cette liaison, cette souffrance, cette peur de l'abandon – car c'était bien de cela qu'il s'agissait, il craignait qu'elle le lâche, qu'elle se détourne de lui, comme son père l'avait fait et sa mère aussi, cette distraite, cette irresponsable, incapable de traverser place du Châtelet, oui ils étaient tous des incapables, incapables d'amour, de constance, et il allait se retrouver seul une fois encore.

— Mais moi j'aurais été fier de t'accompagner à Coutainville, est-ce que tu peux comprendre ça ? Je t'aurais soutenue, là-bas, je t'aurais protégée face à eux.

— Je n'avais pas envie qu'on me protège.

Elle crânait. Elle le provoquait. Est-ce qu'Élisabeth lui avait conseillé de s'affranchir de lui ? Est-ce qu'elle faisait payer son divorce à tous les gens heureux... ?

Mais Clara n'avait jamais été heureuse, elle évitait le bonheur avec soin, cet idéal trop simple, banal, tellement malmené... Il soupira profondément, il fallait se détendre, ne pas laisser dévier la conversation vers la scène mais remettre les choses à plat et reprendre la situation en main.

— Très bien. Je ne me souviens pas de cette photo, est-ce que tu peux me la montrer ?

— C'est trop tard. Écoute, il ne s'est rien passé d'extraordinaire à Coutainville. Je suis restée à peine un quart d'heure chez mes parents... et... ils étaient... Ils étaient comme d'habitude.

Elle ne dit plus rien. Lui, hésitait, touché par sa peine, paniqué par son silence, rongé par la colère.

— Je suis content que tu aies une amie... C'est bien... c'est bien que ce soit Élisabeth, c'était une partenaire... bien... vraiment bien...

Ce seul prénom ravivait sa douleur, ravivait le danger, oui, c'était de cela dont il était question, rien à foutre de ses parents, c'était leur nuit à Coutainville, leur fugue improvisée qui était suspectes. Mais il tenait à l'approuver pourtant, à signifier sa généreuse autorisation. Elle coupa court :

— Je dîne au Costes ce soir avec elle, tu peux nous rejoindre, si tu veux.

— Vous rejoindre ?

— Enfin... si ça te fait plaisir...

C'était un malaise qui ne disait pas son nom, une intuition honteuse. Devait-il franchement lui demander ce qu'il y avait entre elles ? Elle posa sa main sur sa nuque, les bracelets étaient froids sur son cou, il frissonna, elle caressait maintenant ses cheveux, un geste familier qu'elle faisait peut-être pour masquer le vide. Il sentait son regard sur lui, insistant, mais ne voulait rien en savoir, il craignait de s'y perdre. Il baissa la tête, ce qu'elle prit pour une acceptation, une douce soumission, et elle se pencha pour embrasser sa nuque, la mordre doucement, il se retenait de la chasser comme on chasse un insecte, il fallait qu'il lui donne ce que peut-être Élisabeth ne lui donnait pas... Elle s'était plaquée contre son dos, il sentit ses seins généreusement écrasés contre lui et il la détesta de les aimer autant.

— À quelle heure ?

Il n'y eut plus rien contre lui, aucune forme humaine, aucune chaleur, plus de chair ni de salive, juste le vide.

— Quoi ?

— Je te demande à quelle heure. Le dîner au Costes.

Elle s'était levée comme un chat. Les femmes pouvaient si vite se reprendre, il l'admira pour cela, tout en la trouvant terriblement hypocrite. Elle était vexée, il le savait, humiliée, et il jouissait du mal qu'il lui faisait, au moins une chose qu'ils pouvaient encore partager : la douleur.

Clara était en retard. L'avait-elle fait exprès ? Boris se retrouvait seul face à Élisabeth, à boire un Kir royal tout en se demandant ce qu'il pouvait bien lui dire, ce qu'il était pour elle : son mari de théâtre, le Dom Juan de Pascal, l'amant de Clara ? Quel rôle endosser pour que tout se passe au mieux et que cette fille reprenne sa place : la copine compatissante, un peu malheureuse, un peu larguée, la comédienne mise sur la touche... Il prit une cacahuète et lui demanda sans raison des nouvelles de Fred, un copain du conservatoire qui vivait maintenant dans un kibboutz, et tout s'enchaîna très vite, c'était si simple de se rappeler le passé, si confortable d'en extraire quelques anecdotes éculées, on riait un peu, on médisait beaucoup, le temps passait l'air de rien et on ne s'ennuyait pas. On se maudissait seulement.

Enfin, Clara arriva. Fraîche, à l'aise, superbe. Elle les considéra un instant, le sourire aux lèvres, puis s'assit sans hésiter à côté d'Élisabeth. Boris lui en voulut. Elles allaient barboter dans la complicité féminine et lui serait l'homme à côté de la plaque, c'était couru d'avance. Il caressa la joue de Clara en souriant à Elisabeth, fit signe au garçon de servir un troisième Kir. Clara se recula un peu, se cala contre le dossier de sa chaise :

— Tu cherches toujours quelqu'un pour tenir compagnie à Irène ?

Il la regarda sans comprendre. Pourquoi parlait-elle de sa grand-mère ? Pourquoi maintenant, pourquoi ici, et devant Élisabeth ? Ainsi, cette fille était aussi au courant de ça : qu'il avait une grand-mère, que cette grand-mère avait besoin d'une compagnie, mais de quel droit lui racontait-elle sa vie ? Et cela lui apparut flagrant, Élisabeth savait tout, elles avaient papoté encore et encore toutes les deux, heureuses de s'avouer ce qu'elles cachaient à d'autres, et même leur vie sexuelle devait y passer, et surtout leur vie sexuelle, les femmes adorent en parler entre elles, et après tout peu lui importaient ces confidences indiscrètes, mais Irène ! Irène était à lui, c'était sa véritable intimité, son enfance incommunicable.

— Irène n'a besoin de personne.

Clara le regarda au fond des yeux, loin, du plus loin qu'elle pouvait. Aucun d'eux n'avait voulu cela, à aucun moment ils ne s'étaient déclaré la guerre... à aucun moment ils n'avaient déclaré l'amour non plus. Ils étaient punis de leur insouciance, punis d'avoir eu l'orgueil d'être différents, d'inventer une forme nouvelle. Élisabeth glissa un papier à Boris avec les coordonnées de Leïla, pour Irène. Sans même le lire il le mit dans sa poche. Il aurait pu le brûler. Il aurait pu se lever et partir. Il aurait pu demander à Clara de le suivre et de le croire. Croire qu'il allait s'apaiser, devenir exactement la personne dont elle avait besoin. Mais il ne le fit pas. Il prit la carte des vins et la parcourut en connaisseur. En homme.

Ils n'avaient pas soif.

Ils n'avaient pas faim, non plus. Pourtant ils commandèrent à manger et à boire, et ils parlèrent, parlèrent longuement pour remplir le silence et vider les assiettes. Ils évoquèrent la situation internationale, ils lisaient les mêmes journaux et étaient d'accord sur tout, le monde se partageait en deux, le bien, le mal, c'était un tel soulagement. Pouvoir repérer les vrais alliés et les ennemis de toujours.

Depuis son retour de Coutainville Clara n'avait cessé de s'agiter. La nuit, elle ne rêvait pas, ses jours étaient blancs et sans danger – seul le dîner au Costes avait été un fiasco, une soirée insupportable qu'elle préférait oublier. Trois jours après son retour, au moment où elle s'y attendait le moins, et peut-être parce qu'elle allait se mettre au travail, peut-être parce qu'elle était disponible, la douleur se réveilla, la rémission était finie, elle repensa à Coutainville...

Elle revit la maison de son père. Elle comprit à quel point, enfant, elle avait été manipulée, quel rôle elle avait joué dans le couple de ses parents, une petite fille objet, objet de vengeance, de sadisme, tout avait été fait pour que la terre tremble sous ses pas, et aujourd'hui encore elle sentait combien les contours de sa vie étaient flous. Elle avait grandi à tâtons, ce n'était pas l'instinct de survie qui l'avait fait avancer, c'était la panique. Elle avait fait semblant pendant trente ans, elle avait donné le change avec au fond d'elle-même une seule certitude : elle portait des vies qui n'étaient pas la sienne. Les morts et les vivants se disputaient en elle, il y avait lutte acharnée, combat quotidien, pouvait-elle encore les ignorer alors qu'ils criaient si fort ? Ne devait-elle pas les accepter enfin, les recueillir ?

Elle s'approcha du miroir. Elle était belle aujourd'hui, mais avec le temps ce masque se flétrirait et elle les rejoindrait, elle serait ouvertement leur semblable, on la confondrait avec tous ces maudits qui germaient l'un après l'autre sur son arbre généalogique, cet arbre oublié des dieux. Elle venait du mal. Elle était le mal.

Elle se souvint de sa mère, le jour de la révélation, de sa mère et son air complice : « Ça s'appelle les règles. Maintenant tu es une femme, fais attention tu pourrais avoir un enfant », et elle qui ne la touchait jamais l'avait soudain serrée contre elle, contre son chemisier en soie sauvage, elle sentait l'eau de Cologne, Clara détestait cette odeur sucrée, sa broche lui blessait la joue, elle avait fermé les yeux très fort pour penser à autre chose, ne plus être dans ces bras-là, cette odeur-là, cette chambre-là, mais l'autre avait continué, elle était lancée, sa voix tremblait, hystérique, au bord de l'extase et elle lui avait livré sa version de l'histoire Mercier, elle avait sali le père en serrant sa fille dans ses bras, la joue de Clara était douloureuse et son ventre aussi qui saignait pour la première fois et c'était son baptême : elle était une femme. Elle appartenait à la race de sa mère. Il fallait se méfier des hommes, ils étaient violents et mauvais, et sa mère dévida le long fil de leurs forfaits. « Alors, ton grand-père l'a violée, tu comprends ? Tu sais ce que ça veut dire ? » Le cœur de Clara battait fort, lui aussi cherchait à s'évader et l'autre donnait des détails, les détails fantasmés et sordides. « Tu sais que les soldats ne violent pas seulement avec leur sexe ? Mais avec leur fusil aussi, par tous les trous ? Tu sais qu'on peut faire ça par le cul aussi, le fusil dans le cul ? Tu imagines ton grand-père ? » Clara avait vomi. Là. Sur la soie sauvage et la broche en or. L'odeur de l'eau de Cologne s'était mêlée à celle du vomi, la véritable image de son père avait surgi dans ces relents, elle était une femme et lui le fils du monstre. Alors, elle avait eu peur. Peur de lui. Pendant trois ans elle avait refusé de manger en sa présence, et très vite sa mère lui avait ordonné de prendre ses repas à la cuisine avec la bonne. Avec la bonne Clara ne vomissait pas. Elle grandissait dans le silence.

Elle n'avait plus jamais embrassé son père. Est-ce que cela lui avait manqué ? Il n'avait rien exprimé. Elle avait souhaité sa mort, car elle craignait qu'il viole sa mère et elle avait cherché son fusil caché, cherché partout, jusque sous son lit, mais elle n'y avait trouvé que des pantoufles, des médicaments et des mots croisés. Alors elle avait compris que les monstres aiment à se cacher sous l'apparence de la normalité, et cet homme malade qui ne quittait jamais la maison était un spectre qui hantait les lieux, le dragon du château.

Comment aurait-elle pu raconter cette enfance à quelqu'un ? Elle avait toujours su qu'on la désaimerait si elle avouait. On la prendrait en pitié et on la fuirait par peur de la contagion. Alors, elle entretenait sa beauté comme on entretient un mensonge, elle recouvrait ses poignets de bracelets fins et ses doigts de bagues en or, elle se faisait faire des robes sur mesure, elle créait ses parfums, elle prenait sa voix de confidente paisible et elle interrogeait les autres. Et petit à petit elle avait compris qu'elle n'était pas seule. Tous mentaient. Assis en face d'elle dans le studio capitonné, ses invités mimaient la vie et le bonheur. Quels que soient leur âge et leur notoriété, ils mentaient, parce que le but de leur présence n'était jamais de rencontrer Clara Mercier, mais de faire leur propre promotion et de tenter d'y croire, se persuader eux-mêmes de ce bien-être, le temps d'une interview.

Aujourd'hui elle le savait, elle n'irait pas plus loin. Pour elle, finis les faux-semblants, la frivolité et l'esquive. Pour elle était venu le temps de la lucidité. Tout avait été mis en place bien avant sa naissance et elle devait cesser de lutter contre l'évidence, elle devait prendre la place qui était la sienne, Clara Mercier, fille de Jean, fils de Robert, fils d'Achille.

Elle se rendait enfin.

Elle tira les rideaux jaunes de sa chambre, la lumière fut aussitôt paisible et légère, elle s'assit sur son lit et téléphona à la radio. Elle avertit qu'il fallait annuler l'entretien avec le chef d'orchestre. Elle ne viendrait pas. Plus jamais. Oui, elle savait ce qu'elle encourait, et oui, c'était bien elle qui parlait, il ne s'agissait pas d'une blague, ils recevraient bientôt sa lettre de démission. Elle raccrocha et, sans y penser, peut-être parce que la lumière était si douce, elle fit ce que son père avait fait avant elle, ce qu'elle lui avait reproché toute sa vie, ce qu'elle n'avait jamais compris : elle se coucha.

Finalement, Boris rencontra Leïla. La jeune Marocaine était tout ce que sa grand-mère aimait : jeune et jolie – Irène disait que la fréquentation de la jeunesse et du charme était un remède à la mélancolie qui guettait les gens de son âge. Il les présenta l'une à l'autre et très vite il comprit qu'elles souhaitaient rester entre elles. Irène ne voulait pas que Leïla lui fasse la lecture mais plutôt qu'elle lui parle d'elle, de ses amis, de ses loisirs, elle avait envie de voir le monde à travers ses yeux.

En sortant de chez Irène, Boris décida d'aller chez Clara. Elle lui manquait. Il avait un besoin physique d'elle, cela lui faisait mal, cela le bouleversait et l'obsédait. Il allait la remercier pour Leïla, l'aborder avec une bonne nouvelle – une réconciliation douce, l'air de rien reprendre comme avant, quand tout était simple. Mais rien n'était simple, tout s'était compliqué, et au fond de lui quelque chose lui soufflait de se dépêcher, il était sur le point de perdre sa place, il fallait reprendre les commandes, restituer le couple, un couple innocent, complice, une douce évidence.

Il lui restait plus d'une heure avant la répétition, il avait le temps de faire un saut rue Losserand, il savait qu'elle serait là, elle préparait toujours ses interviews chez elle avant de filer à la radio, un rite immuable.

Il frappa à la porte. Clara sursauta. À Paris on passe rarement à l'improviste. On s'évite les trajets inutiles en téléphonant d'abord, on ne surgit pas. Il frappa plus fort. Clara se redressa comme un animal qui guette, prévoit le danger. Qui avait compris qu'elle était prête ? Qui venait la chercher ? Il frappa encore et elle reconnut sa voix. « Clara ! Est-ce que tu es là ? » Est-ce qu'elle était là ? Non. Clara, la compagne de Boris Angelli n'était pas là, il se trompait de femme, il se trompait de proie. Tous les deux ils avaient formé un beau couple, tous les deux ils s'étaient pliés à ce que les autres attendaient, à ce qui était si convenable et si menti, mais cette Clara-là, elle venait de s'en débarrasser, elle l'avait arrachée comme une peau morte. Elle accrocha ses mains au drap, et ses mains ressemblaient à celles de son père, crochues et creuses. Il l'appelait toujours, alors elle se leva, tout doucement, s'approcha de la porte d'entrée. « Ouvre-moi, si tu es là, ouvre-moi ! » Et plus il insistait plus cela lui faisait mal, elle eut la sensation que la voix de son amant était aiguë et tranchante, il la violentait. « Ouvre-moi, je sais que tu es là ! » De quel droit frappait-il à sa porte, de quel droit s'obstinait-il ? Elle se retenait de lui hurler de foutre le camp, de disparaître à tout jamais, elle se mordait les lèvres, se retenait de lui signifier sa présence, et à bout de nerfs elle tira sur ses cheveux, ses beaux cheveux doux et sombres, les arracha par poignées, elle était folle, s'il avait pu la voir, là, elle lui aurait fait peur sûrement, il aurait enfin compris qu'elle était bonne pour l'asile là où les visages sont hideux, les corps déformés, elle criait à présent, un cri incompréhensible, sauvage, saccadé, le cri de ses ancêtres, le cri de reconnaissance et d'appartenance au clan, et Boris l'appela, répéta son nom, de plus en plus fort : « Clara Clara Clara », il ne savait pas ce qu'il disait, il appelait une autre, comme d'habitude, toujours une autre, jamais elle, et sa tête cognait contre le mur au rythme de ce nom et elle griffa son visage, enfin, elle l'entama, elle abîma cette trahison, ces traits fins et délicats qui ne lui venaient de personne, elle tira sur les joues lisses, pinça les paupières fines, et elle n'entendait plus Boris, il avait fui car il avait compris qu'elle était démente, elle était moche, elle était la vie dans ce qu'elle a de plus misérable, d'archaïque et de commun, une mauvaise fille, une vicieuse, comme sa mère ! Et soudain la serrure sauta, le bois se brisa, Boris et le concierge surgirent dans la pièce, elle s'écroula sur le sol, les sanglots la secouaient, son visage sanguinolent et bleu heurtait le parquet. Boris la prit dans ses bras, fit signe au concierge de sortir.

Il la tint ainsi contre lui, un être disloqué et convulsé contre son épaule. Il avait peur, peur d'elle, est-ce qu'il aurait dû y croire quand elle lui disait sa folie ? Il ne l'avait jamais écoutée vraiment. Il l'avait divertie. Rien de plus. Maintenant il allait s'occuper d'elle. La confier à un médecin. Et rompre. Rompre cette ronde du malheur dans laquelle elle voulait l'entraîner, et il songea qu'il l'avait échappé de justesse, il aurait pu avoir un enfant avec elle, offrir à son gosse une mère malade et une enfance douloureuse. Mais c'en était fini des enfances douloureuses ! Maintenant tout était changé. Il était libre. Il allait avoir un enfant. Avec une femme simple et ordinaire qu'il n'aimerait peut-être pas, mais à qui il tiendrait, comme on tient la corde qui vous empêche de tomber. Il aurait une vie qui n'aurait rien de remarquable ni d'enviable, que nul ne songerait jamais à lui voler.

Clara pleurait dans ses bras. Lui, était loin. Très loin et collé à elle. Très loin et poissé par ses larmes, ses joues en sang, son nez morveux. Clara se liquéfiait dans ses bras, elle était comme une eau insaisissable qui passe et qu'on ne retient pas.

Boris sortit de l'hôpital et sut qu'il ne la reverrait jamais. Clara avait été admise pour quelques jours dans le service psychiatrique des urgences, le temps pour les docteurs de faire passer la crise – mais c'était les apparences que la médecine allait sauver, personne n'était dupe, le passé de Clara ne disparaîtrait pas sous l'effet de quelques neuroleptiques.

Il sortit de l'hôpital et le bâtiment se tenait derrière lui, une forteresse dans laquelle Clara dormait à présent, d'un sommeil artificiel qui ne la reposerait de rien. Elle était sans douleur et sans rêve, sans désir et sans mémoire, que se passerait-il dans quelques heures lorsqu'elle ouvrirait les yeux ? Il lui épargnait la honte. Il disparaissait, témoin invisible de sa folie, amant discret, ami réservé. Petit homme lâche.

Il rentra chez lui.

Il fit un café, parce qu'on fait toujours un café quand tout est perdu, il est des gestes qui sauvent par leur banalité, des gestes qui ressemblent à la vie, quand la vie fout le camp.

Il fit un café qu'il ne but pas.

Il s'assit près de la sono muette, là où Clara s'était effondrée le jour de l'enterrement de son père, et peut-être parce que c'était l'endroit des larmes, l'autel de la souffrance, ou peut-être parce qu'elle n'y serait jamais plus, il pleura. Les larmes étaient plus puissantes que lui, il ne les maîtrisait pas, elles ne jaillissaient pas seulement de ses yeux, elles habitaient ses mains, son ventre, elles venaient de loin, tant de douleurs qu'il croyait avoir chassées, d'êtres qu'il croyait avoir oubliés, de manques qu'il croyait n'avoir pas ressentis. C'était un séisme, un envahissement, il était moins fort que la douleur, moins fort que la pudeur, il était simplement un homme qui pleure.

Il comprit à quel point il avait aimé, à quel point il aimerait toujours Clara. Un amour sans raison. Sans explication. Un amour fait de mille éclats invisibles, de liens magiques, de communions muettes, un amour de peaux, de langues, de sexes trempés, un amour d'odeurs, de sueur, un amour d'affrontements et de reconnaissances, un amour de nuits soudées, de jours communs...

Est-ce qu'on pouvait perdre tout cela à la fois en une heure ? Est-ce qu'un homme peut s'éteindre sans être mort ?

Ses sanglots s'apaisèrent lentement. Il était soûlé par ses pleurs. Ivre et lamentable. Il songea qu'il avait si souvent trompé Clara... Elle n'aurait pas compris s'il lui avait avoué combien ces femmes ne faisaient que renforcer l'amour qu'il avait pour elle, combien ces femmes le rendaient à elle, plus aimant. Elle n'aurait pas compris s'il lui avait dit qu'elles n'étaient qu'une pause, une respiration qui l'aidait à s'immerger plus fort encore dans cet amour terrible pour elle... Mais pourquoi avaient-ils déclaré s'aimer d'amitié ? Pourquoi ne pas avoir regardé le soleil en face ?

Il pensa à leur histoire, ces souvenirs qu'ils n'évoqueraient jamais ensemble, ces années dont ils ne

retiendraient pas les mêmes choses, et cette séparation brutale qui abîmait tout, déjà. Il se rappela leur
première rencontre. Clara à vingt-cinq ans, c'était tant
de beauté et de fraîcheur, c'était un hommage à la
femme. Clara à vingt-cinq ans, c'était ce que la vie pouvait faire de meilleur, voilà ce qu'il avait pensé la première fois qu'il l'avait vue. Il ne l'avait pas désirée,
alors. Il ne la pensait pas accessible. Trop belle. Trop
lumineuse. Et puis, n'était-elle pas la maîtresse d'un
peintre reconnu, un monsieur de cinquante ans qui la
protégeait comme si elle avait été son œuvre la plus
précieuse ? Elle ne posait pas pour lui, contrairement
à ce que les gens disaient, ainsi personne n'avait
jamais possédé totalement Clara... Elle avait quitté le
peintre pour Boris. Lui, n'en revenait pas, alors il avait
feint de prendre la chose à la légère, c'était plus une
amie qu'une amante, n'est-ce pas, il ne changeait rien
à ses habitudes, il n'y aurait ni contraintes ni véritable
engagement... Et puis, malgré eux, la vie les avait
assemblés, comme deux couleurs, les avait liés,
comme le sang à la chair, la vie leur avait jeté un sort
et eux avaient vécu en aveugles, inconscients de ce qui
les ensorcelait, faussement libres et après tout... libres
de quoi ?

Il songea qu'il avait quarante-cinq ans et qu'il n'avait
rien accompli. Il avait seulement joué. Des personnages
qui n'étaient pas lui, des vies qui n'étaient pas la
sienne, et aujourd'hui, devant sa déchirure nouvelle,
il comprit qu'il n'avait fait que mimer des sentiments,
rien de plus. Il avait effleuré les personnages, et s'il les
avait compris, il ne les avait pas ressentis. Aucun ne
l'avait transpercé comme la vie le transperçait à présent, aucun ne l'avait laissé démuni, nu, exposé. Maintenant, à quarante-cinq ans, il venait d'éprouver la vie,
d'en faire l'expérience implacable, et alors il pensa à

ses parents. Il était né d'un homme et d'une femme qui ne l'avaient jamais consolé. Sa mère était morte quand il avait trois ans, elle avait dû comme toutes les mères se lever la nuit, pour la faim, la soif, elle avait dû calmer la douleur des premières dents et celle des premières chutes, mais elle n'avait jamais consolé de la peur de l'avenir et l'avenir c'était le manque et l'abandon.

Il pleura de nouveau, doucement, des larmes fines coulaient dans son cou, tombaient sur ses mains, il pleura sa mère, l'idée qu'on se fait d'une mère, le besoin qu'on en a, il la pleura comme une injustice, une tendresse ravie. Il se revit, dans les couloirs de l'hôpital Tenon, à la recherche de ce père si proche et qui se dérobait encore, est-ce que les anges de Boris étaient réels ou n'étaient-ils qu'une illusion, un espoir en trompe-l'œil ?

Maurice Pichon. Un nom ridicule. Une vie sans importance. La vie d'un homme incapable de reconnaître l'amour, une existence sans pesanteur et sans ancrage.

Boris Angelli. Un acteur adroit à la belle gueule et à la technique infaillible, un pauvre pantin qui donnait le change.

Il ne pleurait plus. Sa respiration était plus ample, plus souple, et son corps fatigué, comme après une lutte. Clara était peut-être réveillée, maintenant... sûrement, elle était réveillée. Mais il ne la reverrait plus. Plus jamais cette femme-là dans ses bras. Plus jamais cette femme-là. Jamais.

Ainsi, ils s'étaient tous aimés un jour. Ils s'étaient rencontrés par hasard, ils s'étaient plu sans raison, ils s'étaient unis pour la vie, et cet après-midi ils attendaient dans les couloirs du palais de justice, ils faisaient la queue. Comme ils l'avaient faite pour visiter leur premier appartement, comme ils l'avaient faite au cinéma, main dans la main, au concert, chez le chocolatier à Noël, à l'entrée d'une boîte de nuit, tous ces endroits où ils avaient attendu ensemble, bavardant, s'embrassant furtivement, et pendant qu'ils patientaient ainsi, à la porte d'un immeuble, à l'entrée d'un cinéma, le temps passait et les guettait. Ils n'y avaient pas pris garde. Ils s'aimaient. Il y avait eu des mariages discrets, des mariages fastueux, le choix de la robe et des invités, le voyage de noces dans un pays ensoleillé, toutes ces histoires banales et uniques, gravées au fer rouge sur leur vie. Et puis l'enfant. Désiré. Ou surgi par surprise. L'enfant qui avait bouleversé l'organisation et le calme d'une vie, qui avait distrait de l'ennui parfois, qui avait fait croire que tout était encore possible, et ils s'étaient émerveillés de leur nouveau rôle : le père et la mère, c'est ce qu'ils étaient devenus, et la peur se mêlait à la joie, la contrainte à la nouveauté, ils apprenaient chaque jour et croyaient grandir eux aussi, mais le temps continuait à passer et aujourd'hui il rassemblait enfin son troupeau hétéroclite, son troupeau de séparés.

Élisabeth attendait, belle, préparée comme pour une cérémonie, avec l'intention dérisoire de faire bonne figure. Elle avait choisi avec soin ses vêtements, une tenue féminine parce qu'une bonne mère est féminine, un maquillage discret parce qu'une bonne mère n'est pas vulgaire, et elle avait pris un Lexomil, parce qu'une femme responsable se maîtrise.

Son avocate l'avait préparée au rôle, comme un coach : pas d'agressivité, pas de jérémiades ni de lyrisme, du concret. Rien que du concret. Elle devait dire au juge comment elle s'occuperait de ses filles, qui les garderait pendant le tournage en Tunisie et dans quelles conditions. Des lieux. Des noms. Des dates. Un planning. Sans faille.

En face d'elle Pascal attendait lui aussi, ignorant sa femme... sa presque femme, son « ex », comme on disait – une histoire d'amour résumée en deux petites lettres sèches et sans appel. Pascal, depuis quelque temps, n'avait plus de regard. Tout en lui fuyait, s'esquivait, il se faufilait dans la vie d'Élisabeth et lui assénait des coups qu'elle apprenait à parer.

La vie à deux était un enfer. Ils ne se disaient ni bonjour ni au revoir, et pourtant chacun guettait les entrées et les sorties de l'autre – surtout les sorties. Pour respirer, se jeter sur le téléphone ou partager un moment de calme avec les filles. Mais comme chacun ignorait où était l'autre et quand il reviendrait, on ne savait jamais combien de temps l'accalmie allait durer. Alors c'était des instants vécus dans la fébrilité, les petites n'y comprenaient rien : ces effusions soudaines, ces mots d'amour inquiets, ces cadeaux qu'elles n'avaient pas eu le temps de désirer et ces disputes qui reprenaient dès que leurs parents se retrouvaient. Elles étaient malheureuses. Elles ne le montraient pas. Elles avaient compris que dorénavant il fallait cacher sa peine, réfréner les élans – elles avaient remarqué l'angoisse d'un parent quand elles faisaient un câlin à l'autre, et le soir n'osaient même plus demander une histoire pour dormir car, fait nouveau, Pascal aussi voulait les coucher, et depuis qu'avec Élisabeth ils s'étaient affrontés pour savoir qui lirait *La Petite Fille aux allumettes*, elles ne demandaient plus rien. Camille racontait à Élodée des histoires de princesses et de princes charmants, puis elles se parlaient, cherchaient en vain ce qu'elles avaient bien pu faire pour en arriver là. Alors, elles essayaient d'être les petites filles modèles. Pour avoir de nouveau une famille modèle. Elles se bridaient, se forçaient à la gentillesse, cela ne changeait rien au désamour de leurs parents, alors, à bout de forces, découragées, elles piquaient des colères terribles. Tout s'arrangerait lorsque Pascal et elle vivraient séparément, voilà ce que pensait Élisabeth, qui se demandait elle aussi pourquoi son existence avait si brusquement basculé.

Aujourd'hui elle était seule, seule parmi ces couples défaits, tous unis par le désarroi et l'appréhension, tous épuisés, sur leurs gardes, trompés par la vie. Cependant, certains parlaient entre eux. Elisabeth les détestait. Les bons copains. Ceux qui se séparent facilement, parce qu'ils se sont aimés facilement, dans le calme et la tiédeur. Elle les détestait et elle les enviait. Ceux-là ne devaient pas se déchirer pour la garde des enfants. Ils avaient raté leur mariage, ils réussissaient leur divorce. Chacun ses ambitions.

Elle pensa à Clara. Elle avait besoin d'elle. Une personne avec qui fêter ça, fêter la fin d'un couple, la mort d'une famille, une amie qui comprenne que le bouchon du champagne saute aussi dans les moments les plus sordides. Elle pensa à leur rencontre, à la première de Pascal quand elle était encore la femme du metteur en scène, celle à qui l'on dit : « Tu es jolie ce soir », elle revit ces couples qu'ils formaient alors, « la femme de », « la compagne de », et maintenant, quelques mois plus tard, comme ils se fuiraient les uns les autres si un hall de théâtre les réunissait à nouveau, quelles seraient leur gêne et leur déroute !

Une jeune femme sortit en pleurant du bureau du juge. Son avocat la soutenait. Est-ce que cette femme-là n'avait pas obtenu la garde de ses enfants ? Élisabeth en fut terrifiée, il lui semblait qu'elle allait passer un examen et que l'examinateur était une ordure... Une vie entière à passer des examens. Des auditions. Des concours. Une vie entière à être convoqué. À attendre le verdict. Le compte rendu des analyses médicales, des notes, des jugements. Une vie entière à obéir.

Son avocate s'approcha. Elle était en pleine forme, elle avait bavardé pendant un quart d'heure avec une collègue et apparemment elles s'étaient bien marrées toutes les deux.

— Ça va aller, Élisabeth, détendez-vous.

— Je suis détendue.

— La tentative de réconciliation va sûrement aboutir à l'autorisation de résidence séparée.

— Mais les enfants...

— Tout ira bien avec les enfants ! Ressaisissez-vous, vous passez dans une vingtaine de minutes, ce n'est pas le moment de flancher !

Tout va bien, se dit Élisabeth. J'aurai mes filles. J'aurai mes filles. J'aurai mes filles. Elle tentait de se reprendre, de réintégrer sa peau de femme forte et responsable, tentait de faire abstraction de tous ces noyés qui flottaient autour d'elle dans le couloir de la Justice. Elle avait tout. La volonté. La santé. Deux petites filles merveilleuses. Et un métier magnifique, ce rôle pour lequel elle venait de signer, cette femme qui s'était battue toute sa vie, comme si la lutte gagnait sur la peur, comme si la lumière ne surgissait que des ténèbres, le noir, en opposition au blanc, comme sur une photo... Elle pensa à la photo fétiche de Clara. Elle avait été elle aussi cette femme qui pose sa main sur son ventre arrondi, elle se battrait pour protéger ses petits, depuis des millions d'années les femmes menaient ce combat.

Elle soupira profondément, la fille qui attendait juste devant elle la regarda avec étonnement et Élisabeth lui sourit, lui sourit avec tout ce qu'elle était, ses joies, ses engouements, son énergie, rien de mal ne pourrait plus lui arriver.

Après le jugement, Élisabeth alla voir Clara. Pour lui dire que c'était fini. Pascal allait quitter la maison, tout serait assaini, purifié, chacun reprendrait sa place, oh ! comme elle allait s'organiser avec les filles ! Une vie à elles trois, les trois nénettes, les trois complices, elles allaient se soutenir, s'aimer sans entraves et sans témoins. Oui, il fallait le dire à Clara, partager cette joie nouvelle, cette libération qu'elle attendait depuis des années sans le savoir, car c'était seulement maintenant qu'elle réalisait à quel point la vie avec Pascal lui avait pesé, comme elle s'était pliée à un rôle, une fonction sociale, à quel point elle avait voulu que ça marche et tous les compromis qu'elle avait faits alors, en croyant donner des preuves de sa passion. Une famille, c'était un don. Elle ne l'avait pas eu, et après ? Un couple, c'était éphémère. Une mère, elle l'était à jamais.

Elle arriva à la clinique psychiatrique *Mon Repos*, où Clara avait été admise quinze jours auparavant. Ça n'était pas si loin de Paris, vingt-cinq kilomètres à peine, mais c'était un autre temps, un autre rythme, une autre lumière aussi. Il y avait moins de monde, plus de retenue et de raideur qu'à Paris, il y faisait plus froid, l'air était vif et pur, comme à la campagne, mais c'était un entre-deux : la banlieue, lieu proche de tout, au cœur de rien. Une ambition de bien vivre et un complexe de recluse.

Les couloirs de la clinique étaient rose pâle, il y avait des photos aux murs, montagnes et chevaux, des idées d'évasion, des fantasmes communs auxquels nul ne prêtait attention. Ici, on ne contemplait pas les reproductions, on s'essayait au calme. On marchait doucement, on parlait bas, on se saluait d'un bref hochement de tête. Ici, on prenait le temps de souffrir, on accueillait ça religieusement, on pleurait, on dormait, parfois un tour dans le parc avant de manger seul dans sa chambre.

Élisabeth frappa doucement à la porte de Clara et entra avec précaution. Elles se sourirent, un signe de reconnaissance, non de bien-être. Elle s'assit sur le lit de son amie, ainsi qu'elle avait pris l'habitude de le faire. Le plus souvent elles se regardaient sans parler, ou alors c'était des banalités : la perfusion est terminée, le psychiatre est passé, peux-tu sortir les fleurs, approcher la carafe... On repartait à zéro, avec prudence on réapprenait la vie. Les gestes simples. Les besoins immédiats. Pour l'heure, Clara était sans désir. Ni lecture. Ni radio. Ni télévision. Ni téléphone. Elle ne voulait rien. Pas de repères ni d'émotions, pas de surprises, juste un peu de calme. Comme une transparence.

Élisabeth lui prit la main, Clara n'avait plus ni bagues ni bracelets, elle était sans protection, dépouillée de tout.

— Pascal va partir. J'ai la garde des filles...

Cela faisait longtemps qu'elle n'avait pas parlé d'elle à son amie, cela faisait longtemps que les soucis, les difficultés n'avaient pas été évoqués.

— J'ai mes filles. J'ai gagné ça. Et toi aussi tu vas gagner, tu comprends ? Tu le sais que c'est un signe, tu crois encore aux signes ?

Et elle comprit à quel point elle avait besoin de Clara, de ses croyances qui n'étaient pas les siennes, de ses combats auxquels elle n'était pas liée, le rétablissement de Clara serait aussi sa guérison, son harmonie retrouvée.

Pour la troisième fois de la matinée Élisabeth vérifia le crâne d'Élodée. Elle souleva les cheveux si fins sur sa nuque, d'une main tremblante y passa et y repassa le peigne à poux, apparemment il n'y avait plus rien.

— Tu es sûre que ça ne te gratte plus ?

L'enfant hocha la tête en soupirant. Elle ne comprenait pas pourquoi ses cheveux étaient devenus un tel enjeu, mais elle comprenait que cela avait déclenché un cataclysme. Elle ignorait où et quand elle avait attrapé ces poux, mais elle savait que sa négligence marquait le début d'une tragédie. Dorénavant, elle se souviendrait qu'avoir des poux était une faute que l'on punissait. « Enquête sociale ». Elle avait retenu le mot et elle attendait avec terreur la venue de l'assistante sociale, persuadée que cette dernière allait promener sur sa chevelure sa grosse loupe d'inspecteur. Elle n'en dormait plus. Même l'école l'avait refusée pendant une semaine. Elle était malheureuse et contagieuse. Petite et sale.

L'assistante sociale n'allait pas tarder à arriver et Élisabeth nettoyait encore son appartement déjà propre. Camille la regardait avec rancœur. Elle lui en voulait d'avoir retiré de sa chambre les posters de ses chanteuses préférées sous prétexte qu'elles étaient vulgaires, et d'avoir jeté ses cassettes vidéo favorites, tout le monde dans sa classe regardait *Dragon Ball Z*, mais Élisabeth lui avait dit qu'au Japon ces dessins animés étaient destinés aux adultes, uniquement aux adultes, et que dans sa maison ce serait dorénavant la même chose.

Il était rare qu'elle fasse ainsi le ménage, d'ailleurs on n'aurait pas dit qu'elle nettoyait, mais plutôt qu'elle cherchait à effacer quelque chose, des traces, des preuves, « des empreintes », songeait Élodée.

Tout cela était absurde. Jamais on ne lui retirerait la garde de ses enfants parce que Pascal avait découvert qu'Élodée était pleine de poux… ! Chaque matin elle vérifiait la coiffure des petites, comment avait-elle pu laisser passer ça ? Mais on n'allait tout de même pas mesurer l'amour qu'elle avait pour ses filles à cette simple étourderie ? Elle regarda son appartement qui ne se ressemblait plus, ces pièces rangées comme pour un catalogue « bien dans ses meubles bien dans sa vie », et le rayon érotique de sa bibliothèque qu'elle avait fourgué sous son lit, *L'Origine du monde* de Courbet qu'elle avait ôtée de sa chambre… ainsi tout était lisse, anonyme, on n'aurait pas su, en entrant chez elle, si elle avait quarante ou soixante-dix ans, si elle était artiste ou retraitée des postes… et cette assistante sociale qui allait la juger, d'où tenait-elle son pouvoir ? De quelques années d'études ? D'un diplôme ? Et comment était-ce chez elle ? Y avait-il un godemiché sous son oreiller et des chaussettes trouées sous son lit ? Elle qui était la représentante d'un monde propre et sans aspérité, savait-elle que les enfants naissent dans le sang, l'eau sale et la merde ? Savait-elle qu'ils vous déchirent pour venir au monde, qu'on vous coupe le sexe pour les aider à sortir et qu'Élisabeth en portait toujours la cicatrice ? Mais de cette cicatrice-là, personne ne parlait. On préférait vérifier l'évier et la marque du shampooing. Savait-elle qu'Élisabeth se demandait, à chaque rôle accepté, à chaque rôle refusé, si ses filles seraient fières d'elle ? Non. On préférait lui demander ses horaires et ses lieux de tournage : combien de kilomètres les sépareraient ? Aucun. Aucun kilomètre ne les séparerait jamais puisque même la mort ne les arracherait pas les unes aux autres, puisque tout était fait pour les rassembler, les joies comme les peines, l'éloignement comme la présence, elles tissaient leur vie ensemble, trois fils à la trame si serrée qu'en toucher un c'était les toucher tous.

On sonna. Ce fut comme si on avait appuyé sur le cœur d'Élisabeth, un choc électrique. Elle entortilla ses cheveux en chignon, puis les remit sagement derrière ses oreilles et alla ouvrir. Les filles avaient filé dans leur chambre.

L'assistante sociale était jeune, ses cheveux courts encadraient un tout petit visage olivâtre sans maquillage, elle était menue et habillée de gris, on l'aurait dite sortie de l'armoire métallique d'une administration.

Ce n'est qu'une toute petite chose…, songea Élisabeth, une toute petite chose sans importance…

Elle la fit asseoir au salon, lui proposa un café que l'autre refusa d'un simple signe de la main. Elle posa son sac à ses pieds, cligna frénétiquement des paupières et attaqua sans préambule :

— Comme vous le savez, après la plainte que Monsieur Pascal Blanchard a déposée contre vous, la juge a ordonné une enquête sociale. Je vais devoir vous poser quelques questions, à vous et à vos filles. Je vous sens un peu tendue, rassurez-vous, je ne suis pas là pour vous tendre un piège mais pour le bien de vos enfants.

Pour le bien de mes enfants..., pensa Élisabeth, et elle sentit immédiatement le danger que représentait cette femme, ce qu'elle traînait avec elle de textes de loi, de critères et d'amendements, elle avait sûrement été élevée dans la névrose du danger, la crainte de la maladie et l'hygiène obsessionnelle, elle suintait l'ordinaire et la raison.

— Vous fumez ? demanda l'assistante sociale en désignant le cendrier sur la table basse.

Élisabeth regarda le cendrier avec étonnement. Comment avait-elle pu l'oublier là, le confondre avec un simple objet de décoration ?

— Non, je ne fume pas, c'est un cendrier... C'est un cendrier qui vient du Maroc, comme vous pouvez le voir... c'est un cendrier... sentimental.

— Monsieur Blanchard dit que vous fumez. Beaucoup. Que les petites souffrent de sinusites et de bronchites à répétition.

— Vous voulez voir leur carnet de santé ? Mon mari... enfin, leur père ne les a jamais emmenées chez le pédiatre, comment peut-il...

— Ne vous énervez pas !

Élisabeth soupira profondément. L'autre avait raison, elle piquerait sa crise de nerfs toute seule, ce serait sûrement plus légal.

— Monsieur Blanchard affirme que le 11 janvier dernier vous avez retiré vos filles une heure avant la sortie de l'école et que votre fille aînée – Camille ? – que votre fille aînée en a été traumatisée. Vous aviez conscience de la violence de votre acte ?

Élisabeth en resta bouche bée. Elle revoyait l'accueil de Pascal quand elles étaient rentrées de la Maison de la Radio avec Clara, ce dîner qu'il préparait en sifflotant et maintenant... maintenant ! Mais quelle était la vie de cet homme ? Comment pouvait-il consacrer tant de temps à des actions aussi basses, comment pouvait-il seulement en avoir l'imagination ?

— Mon mari... Monsieur Blanchard venait de m'annoncer qu'il avait une maîtresse depuis deux ans... j'ai... J'ai eu peur. Il m'a fait peur.

— A-t-il été violent ?

— Non.

— Avait-il proféré des menaces à l'encontre des enfants ?

— Écoutez, mademoiselle, depuis sept ans j'emmène mes filles à la crèche et à l'école, quand je suis en tournage une baby-sitter s'en charge, la directrice de l'école a vu mon mari... mon ex-mari pour la première fois le 11 janvier dernier. Vous voyez ce que je veux dire ?

— Monsieur Blanchard dit que vous buvez, surtout quand vous êtes seule avec les enfants, il dit avoir retrouvé des bouteilles de whisky et d'alcool de prune plusieurs fois en rentrant du théâtre.

Élisabeth la regarda sans répondre. Qu'y avait-il à répondre ? Quel rapport y avait-il entre l'alcool et ses filles, est-ce qu'elle aurait dû faire attention à cela, était-elle vraiment en faute ?

— De plus il affirme que vous le mélangez au Lexomil. Vous êtes sous médicaments ?

Oui ! Oui ! avait-elle envie de crier, elle avalait du Lexomil parce qu'il la baisait mal, parce qu'elle était frustrée, malheureuse, délaissée et qu'il y avait de quoi en devenir folle !

— Vous pensez que toutes les femmes qui prennent du Lexomil avant de se coucher sont de mauvaises mères ?

140

L'autre se gratta le genou, le raclement de ses ongles sur le collant épais était insupportable, Élisabeth frissonna de dégoût en regardant cette fille si loin des douleurs de la vie... et soudain elle la vit se redresser, agrandir son regard, tendre son petit cou, et elle entendit le rire de ses filles. Elle se retourna aussitôt. Elles étaient déguisées toutes les deux, oui, déguisées en sorcières, les cheveux dressés sur la tête, collés par le gel, des verrues noires dessinées sur les joues, les ongles peints, et Camille chevauchait allègrement un balai. Dire qu'une heure auparavant elle les avait habillées comme si elles sortaient tout droit de chez Jacadi, on aurait dit deux orphelines échappées du 16e arrondissement, ne leur manquaient plus que les smocks et le serre-tête.

— Camille et Élodée..., dit-elle en souriant vaillamment à l'assistante sociale. Venez dire bonjour à la dame... Et elle leur fit signe d'approcher, le balai de Camille renversa un vase, les tulipes rouges échouèrent sur la moquette, Élisabeth hésitait entre la colère et le rire nerveux, c'était le moment ou jamais de montrer à l'assistante sociale qu'elle était ferme mais pas trop sévère, bienveillante mais pas laxiste, elle se leva pour ramasser les fleurs en disant que c'était une grosse bêtise mais que maman voyait bien qu'elle ne l'avait pas fait exprès, et elle avait l'impression de parler comme dans la rubrique psycho d'un magazine féminin. Les petites s'assirent fièrement sur le canapé, en face de la dame qui souriait à s'en fendre les gerçures.

— On est les sorcières des poux ! s'écria Élodée.

Élisabeth n'en croyait pas ses oreilles ! Elle avait répété vingt fois aux petites ce qu'il faudrait dire à propos des poux, et surtout, surtout, ne pas en parler les premières, laisser l'autre venir, tâter doucement le terrain.

L'assistante sociale cessa enfin de sourire et prit une voix qu'elle espérait suave, une voix faite exprès pour s'adresser aux enfants fragiles, ces pauvres enfants de divorcés :

— Laquelle de vous deux a des poux ?

— Toutes les deux ! répondirent-elles en chœur.

— Ce n'est pas vrai, c'est la petite, la petite seulement qui a eu des poux, j'ai tout nettoyé pour que la grande n'en ait pas : la literie, les coussins, les vêtements, j'ai mis de la poudre aussi, et fait des shampooings préventifs...

Camille l'interrompit avec calme, elle parlait posément, avec le ton un peu solennel qu'elle prenait quand elle jouait à la maîtresse ou à la marchande :

— Je vais vous expliquer. À l'école, on fait des concours. Des concours de poux. On s'échange les bonnets et les écharpes, ma sœur et moi on a failli gagner, mais cette année, on n'a été que deuxièmes... enfin, sur cinquante c'est pas mal.

Il y eut un silence. L'assistante sociale prit son sac, le posa nerveusement sur ses genoux serrés, elle semblait hésiter. Élisabeth la regardait lamentablement, les pieds dans l'eau, une tulipe à la main, les filles attendaient avec une patience qu'elle ne leur connaissait pas. L'autre reposa son sac, reprit ses esprits et sa voix suave :

— Vous avez mangé quoi hier soir avec maman ?

— Des chips et du coca ! cria presque Élodée.

Cela faisait dix jours qu'Élisabeth calculait les calories, équilibrait les repas, forçait les petites à manger des légumes verts et à oublier les soirées hamburgers devant les séries télé débiles.

— Des haricots verts et du jambon blanc... non traité..., dit-elle doucement, d'une voix suppliante.

— C'est vrai ?

— Non, fit Camille d'un air désolé.

L'assistante sociale regarda le bout de ses chaussures, ce qui la laissa rêveuse un moment. Les filles se taisaient, quelque chose était en train de se passer dans le cerveau de la petite dame grise, elle avait toutes les cartes en main, qu'allait-elle jouer ? Élisabeth n'osait plus bouger ni même regarder ses filles, la situation lui échappait complètement, elle était en équilibre sur un fil, un souffle aurait pu la faire basculer. Soudain, avec un élan qu'on ne lui aurait pas soupçonné, l'assistante sociale attrapa de nouveau son pauvre sac, se leva et dit d'une voix assurée :

— Eh bien moi, je n'y crois pas à vos histoires de sorcières ! Ici, je ne vois que des princesses ! Et elle fit ce geste qui lui venait de son enfance, de ses jeux secrets, de ses mimiques solitaires devant le miroir : elle fit une révérence.

Cela les tétanisa toutes les trois. Était-ce de l'ironie ? Où était le piège ? Mais elle s'approcha d'Élisabeth, lui tendit une main moite et lui chuchota :

— Ne vous inquiétez pas.

Élisabeth lui aurait bien offert sa tulipe, mais elle n'était pas sûre que l'autre puisse aller jusque-là. Elle ne lui répondit rien, ne la raccompagna pas à la porte mais la regarda sortir du salon et disparaître...

Elles écoutèrent toutes les trois les petits pas pressés dans l'escalier, puis se précipitèrent dans un même élan à la fenêtre pour regarder la dame grise s'éloigner dans la rue. Alors, seulement, elles se tournèrent les unes vers les autres, sans un mot, puis éclatèrent de rire, poussèrent des cris aigus, sauvages, elles sautaient sur place en se tenant par la taille, Élisabeth avait gagné, ses filles plutôt avaient gagné, elles savaient se battre, elles avaient tout compris, tout appris, Élisabeth ne serait plus jamais seule, elle était protégée par deux petites vies de cinq et sept ans.

Madame,

Vous ne me connaissez pas. Moi, j'ai pensé à vous toute ma vie, toute ma vie j'ai cru que vous étiez toutes les femmes, j'ai cru que chacune de nous était venue au monde pour souffrir. Mon grand-père s'appelait Robert Mercier, il était milicien. L'enfant s'est appelé Jean. Je suis votre petite-fille Clara.

Élisabeth mit la lettre dans son sac.

Rechercher cette femme lointaine, retrouver cette fiancée sans mari, cette mère sans enfant, cette grand-mère inconnue, ce n'était pas forcément éclaircir le mystère. Il pouvait y avoir des obstacles, un refus. Un abîme. Encore. Mais la vie en Clara s'était obstinée et reprenait ses droits, et la vie lui disait que cela était possible : se relier, se rattacher à Isabelle Bon, décider de se poser sur cette branche-là. Et savoir d'où s'envoler.

La lettre dans le sac d'Élisabeth faisait plus que son poids, faisait plus que quelques lignes, elle défiait le temps. Clara savait que son amie appréhendait le voyage ; elle, avait confiance. Le téléphone avait été branché dans sa chambre silencieuse.

Elle attendrait.

Le lendemain Élisabeth partit pour L'Isle-sur-Sorgues. Elle loua une voiture à Avignon, elle était arrivée très tôt par le train dans cette lumière implacable qui élargissait l'horizon, ouvrait un ciel vaste, immaculé, et il lui sembla que cette pureté n'offrait aucun refuge, tout était avoué, les ombres disparues, les abris démasqués. Le trajet était court d'Avignon à L'Isle, et elle le regretta. Elle aurait voulu rouler longtemps sur ces petites routes, se préparer à ce qui l'attendait. Elle se voulait forte et déterminée, elle était émue, un peu désemparée. Aujourd'hui elle faisait le chemin à rebours, elle passait le film à l'envers, et quand elle vit inscrit à l'entrée de la ville « L'Isle-sur-la-Sorgue », elle eut un coup au cœur. La réalité était là, la tragédie avait un nom, le malheur avait un lieu.

Elle laissa la voiture au parking de l'hôtel des Névons, partit à pied dans le village, et le vers de René Char s'imposa à elle sans qu'elle l'ait appelé : « Pleurer longtemps solitaire mène à quelque chose. » Ce vers battait en elle, insistant, comme une parole sage, une croyance populaire. Elle se le répétait en suivant au hasard les canaux, les ruelles qui menaient au cœur de L'Isle, et elle ignorait où aller, où trouver la vieille dame qui s'appellerait Isabelle Bon. Elle revit le visage du père de Clara, le geste sur son cou, ce suicide qu'il avait mimé, et la peur qui était encore en lui. La peur. Depuis des générations.

Elle arriva place de la Liberté et entra au café de France. C'était un café ancien, au plafond haut, au plancher en bois, et qui faisait face à l'église – il y a longtemps, pendant que leur femme était à la messe, les hommes y buvaient entre eux, elle les imaginait, elle les voyait bouger dans leurs costumes trop raides, elle sentait les fantômes, le frôlement des vies passées, une seconde à peine s'était écoulée entre leur temps et le sien, elle sentit combien son existence était fragile et alors elle pensa à ses filles avec une impulsion d'amour violente. Que leur avait-elle transmis jusqu'alors ? Si elle mourait demain, se souviendraient-elles de leur mère ? De tout cet amour, ce temps consacré, cette infinie patience... ? Quelle image garderaient-elles ? Que retiendraient-elles de ses combats, ses élans, ses erreurs ? Pourvu qu'elles ne se soumettent jamais, pourvu que je leur donne l'insoumission, pensa-t-elle.

À la table d'à côté, des adolescents riaient entre eux, les garçons avaient des rires fragiles, un peu moqueurs, et les filles... Comme les filles étaient jolies ! Pourquoi les garçons riaient-ils ? N'auraient-ils pas dû se taire et essayer de comprendre pourquoi ces filles étaient si jolies ? On voyait que, pour eux, elles s'étaient préparées avec soin, elles étaient coquettes et maladroites aussi dans cette coquetterie, elles en faisaient un peu trop et c'était touchant. Bientôt, Camille et Élodée seraient semblables à ces jeunes filles un peu malhabiles, si mal regardées par des adolescents indécis...

Le garçon vint prendre la commande. Élisabeth lui demanda s'il y avait une maison de retraite à L'Isle. Il ne savait pas. Il lui conseilla de se renseigner à l'office du tourisme. Ainsi, dans cette ville, on ne savait pas où étaient les vieux. Pour les trouver il fallait aller à l'office du tourisme, comme pour avoir l'adresse du musée local ou d'un hôtel de charme...

Avant d'aller à l'office du tourisme, elle entra dans l'église, la collégiale Notre-Dame-des-Anges.

Elle mit un cierge. Sans raison. Sans croyance et sans prière. Par superstition, peut-être, ou pour le religieux qu'elle ne comprenait pas, la demande qu'elle ne ferait pas mais que tant de femmes avaient faite avant elle, et si elle n'était pas avec Dieu, au moins était-elle avec ces femmes-là.

Sur le mur, une plaque de marbre rose portait la longue liste des morts pour la patrie. On avait mis plus de temps à graver ces noms qu'à tuer ces hommes. On avait racheté par un peu de dorures le peu de cas qu'on avait fait d'eux, et leurs noms étaient inscrits dans l'église comme une conscience amère. Les cierges brûlaient à côté de ces noms, l'espoir et le malheur côte à côte, la vie du peuple... prières et sacrifices.

À l'office du tourisme on confirma à Élisabeth l'existence d'une maison de retraite, rue André-Benoît, et on lui vendit un plan. Ainsi elle était une touriste, elle se baladait sans repères, c'était un jeu de piste grave et fragile.

La maison de retraite faisait partie de l'hôpital... l'avenir était tout tracé. Elle était circulaire. Les cercles de la déchéance, ou peut-être une aspiration vers le haut... ce devait être selon, selon le moral, l'état physique et la lucidité. Entrer dans ce lieu rond, neuf, étonnamment propre, fut un choc pour Élisabeth. Le choc était dû au nombre : tant de vieux rassemblés dans une homogénéité troublante, avec une similitude d'âges et de handicaps, une cohérence cruelle dans cet assemblage. Ils entendaient mal, ils voyaient mal, ils bougeaient mal ; un monde de travers, un monde d'efforts constants, oui, encore et toujours cette foutue bonne volonté ou peut-être cette garce de peur, cet instinct de survie. Comment savoir ce qui palpitait en chacun d'eux ? À les voir si vite, sans oser les regarder vraiment, ils se ressemblaient atrocement, comme se ressemblent les enfants dans une cour d'école... mais si un seul est le nôtre...

Les visages étaient tournés vers Élisabeth, curieux et intrigués. Elle était nouvelle – une visite ? une infirmière ? Ils étaient prêts à engager la conversation, à papoter un peu, à changer d'horizon. Elle ne savait auquel s'adresser, la lettre dans son sac, à qui allait-elle la donner ?

— Vous cherchez quelqu'un ? lui demanda une petite dame appuyée sur une canne en métal.

— Isabelle Bon...

Elle avait chuchoté ce nom, comme un sésame, un secret, chuchoté trop bas, l'autre lui fit répéter, et déjà plusieurs vieillards s'étaient approchés, sentant l'énigme, prêts à rendre service ou à découvrir un potin. Le nom circula entre eux. Ils se regardèrent en hochant la tête, se concertant, perplexes, un peu déçus.

— Elle n'est pas à mon étage.

— Moi non plus... Elle ne serait pas à l'étage de Paulette ?

— C'est une nouvelle ?

Et ils avaient tellement envie de se rendre utiles, eux qui avaient besoin d'aide pour tant de choses, qui demandaient, remerciaient sans cesse, démunis, forcés à l'humilité, mais Isabelle Bon n'était pas des leurs... N'était pas des leurs... ! C'est en disant cela qu'une vieille femme, épaisse, encombrée, se souvint. De celle qui n'avait jamais été acceptée, de celle qui ne s'était jamais mêlée. Elle regarda les autres avec stupeur, et Élisabeth vit, une fois encore, la peur accrochée à ce nom :

— Isabelle Bon ! L'ancienne fiancée de Lucien ! Celle au milicien ! dit-elle dans un souffle court.

Alors les visages changèrent. Ceux qui avaient définitivement perdu la mémoire s'en retournèrent à leur solitude, fatigués déjà, désabusés, les autres, un petit groupe de quatre femmes, se regardèrent en silence et dans ce silence défilait leur passé, fragmentaire, violent. Isabelle Bon. Celle à qui on ne parlait pas à la manufacture, celle qu'on ne plaignait pas parce qu'elle avait toujours la tête haute, celle qu'on n'aidait pas parce qu'elle était si fière, celle dont la maison était maudite. Isabelle Bon ! Comme elle portait mal son nom, et comme elle faisait honte au village.

Les quatre femmes, qui avaient soudain perdu leur vieillesse, retrouvé la vaillance du mépris, étaient unies dans le ressentiment, comme avant. Comme avant, elles se comprenaient, comme avant elles étaient irréprochables et avaient côtoyé le scandale sans se laisser contaminer. Alors, Élisabeth leur parut ce qu'elle était vraiment : une étrangère.

— Qu'est-ce que vous lui voulez ? demanda une femme fine comme une liane, rouge et tremblotante.

— C'est ma grand-mère.

Il y eut comme un voile sur les visages, une ombre dans chacun des regards, un sursaut des corps. La vieille femme tremblotante s'éloigna à son tour, elle croyait avoir tout entendu dans sa vie, elle croyait avoir épuisé la douleur, mais la douleur était tenace et venait de la rattraper. Ne resta qu'un trio mal accordé de vieilles bouleversées et méfiantes, qui ne savaient pas si Élisabeth était une pauvre fille ou une créature du diable, qui ne savaient plus… Avec l'aveu d'Élisabeth naissait une culpabilité nouvelle, un malaise face aux hostilités passées, leur dureté et leur accord contre celle qui représentait le malheur, Isabelle

Bon, celle qui n'était jamais venue vers elles. Peut-être que si elle s'était confiée un jour, peut-être que si elle avait pleuré une fois... Juste une fois...

— Sa petite-fille ?

— Oui, vous savez bien...

Bien sûr qu'elles savaient. Tout le monde savait. Abandonner son enfant ! Ça n'avait pas de nom, ça n'était pas humain, elles ne voulaient même pas y penser, elles qui avaient élevé les leurs avec tellement de difficultés et qui guettaient, maintenant, une visite, une lettre, souvent en vain.

— Vous venez de loin ?

— Très.

— Mais d'où vous venez ?

— Coutainville. Sur la côte normande.

— Hé bé !

Elle leur sourit. Pour qu'elles cessent de la craindre, pour qu'elles aient leur premier geste d'humanité envers la mauvaise mère, la mauvaise villageoise.

— Elle habite toujours chez sa sœur, Mariette, chemin des Hors, tout près du moulin.

Une seule avait parlé, mais toutes étaient soulagées. L'aveu avait valeur de confession. Et d'absolution. Elisabeth leur serra la main à chacune, avec gratitude. Elle venait de bouleverser le calme et la routine, elle avait rappelé la vie... la vie passée, dans ce village qui ne savait plus où elles vivaient, et si seulement elles vivaient encore.

Et soudain, L'Isle lui sembla grande. Plus elle approchait du chemin des Hors, plus l'espace était distendu. Il y avait un point névralgique au cœur de la ville, un nœud qu'elle allait dénouer, cette journée serait un commencement.

Et cela arriva. Elle se trouva devant la maison de Mariette et Isabelle Bon, face au canal. L'eau était claire, on y voyait des poissons gris, des algues fines, les berges étaient recouvertes de pelouse et d'arbres penchés, c'était un lieu calme, un peu retranché.

Elle sonna. Elle sut que Clara avait entendu cette sonnette. Elle était là, près d'elle, à l'instant même. On ne répondit pas. Elle appuya plus longuement. Sur la berge, une toute jeune fille poussait un landau, dans le ciel un avion filait sans bruit, lentement, comme respectueux du silence du lieu. La porte s'ouvrit. La silhouette d'une vieille femme se devinait dans la pénombre.

— Qu'est-ce que c'est ? demanda-t-elle avec un accent tremblé.

— Mademoiselle Bon ?

— C'est moi.

Les deux femmes se faisaient face. L'ombre et la lumière. La vieille et la jeune.

— Isabelle Bon ?

— C'est Isabelle que vous cherchez ?

— S'il vous plaît.

Pourquoi avait-elle dit : S'il vous plaît ? Ses jambes tremblaient, elle comprit pourquoi on pouvait s'agenouiller et supplier quelqu'un.

L'autre ouvrit la porte. En grand. En silence. Élisabeth entra. Cela sentait l'humidité et le renfermé, cela sentait exactement comme la pièce où sa grand-mère entreposait ses vieux vêtements qui servaient de déguisements aux petits-enfants, un mélange d'antimite, de fleurs anciennes, de tissus mouillés. Était-ce l'odeur de chaque grand-mère, étions-nous tous tenus par ce passé humide, ces tissus abîmés, ces dentelles jaunies ?

La vieille femme fit entrer Élisabeth dans ce qui tenait lieu de cuisine et de pièce à vivre. Les tomettes rouges étaient disjointes, les meubles simples et massifs, des mouches agonisaient sur des papiers collants, et le silence était celui des grottes et des vieilles églises, ces lieux dans lesquels les années s'impriment et ne s'oublient pas.

— Isabelle ! Une dame pour toi.

Une dame pour elle. Oui. Si juste cette présentation. Élisabeth eut envie d'être « pour elle », totalement. Et elle la vit. Petite silhouette si fine, si droite, assise près de la fenêtre, et qui tourna lentement la tête à l'appel de sa sœur – car alors Élisabeth vit comme elles se ressemblaient toutes les deux, c'était elles : Mariette et Isabelle.

Mariette fit signe à Élisabeth de s'approcher et lui installa une chaise face à sa sœur. Puis elle s'en alla, à petits pas, sans un mot, comme si ce n'était pas la première fois, comme si tout cela était naturel et qu'elles avaient l'habitude que des inconnues sonnent à l'improviste. Isabelle fixait Élisabeth d'un regard neutre, calme, ses yeux avaient la couleur noire de ceux de Clara, une couleur qu'elle avait transmise malgré elle, une couleur volée.

— Je m'appelle Élisabeth. Je viens de Paris. J'ai une lettre pour vous.

Sa voix était pâle, elle résonnait dans la pièce ancienne, assourdie, comme écrasée par son mystère. L'autre ne posa pas de questions. Son regard était figé sur Élisabeth et n'exprimait rien. Avait-elle toute sa tête ? Pouvait-on l'atteindre, lui parler ? Élisabeth sortit la lettre de son sac et la lui tendit. Elle ne réagit pas. Un temps passa, Isabelle demeurait droite, un peu hiératique.

— Lisez-la-moi.

Elle avait la même voix fluette que sa sœur, avec cet accent du Sud qui déforme un peu les mots, leur donne un étrange relief. Elle avait raison. C'était à Elisabeth de lire cette lettre, de dire les mots de son amie, d'être dans son désir, dans le rythme de ses phrases, un mimétisme essentiel.

Elle lut. Isabelle tourna son visage vers la fenêtre, et ses doigts jouèrent avec l'alliance qu'elle portait à la main gauche, la faisant tourner sur elle-même. Puis de nouveau ce fut le silence, une pesanteur, un ciel chargé de menaces. Il sembla à Élisabeth qu'elle venait de frapper la vieille dame, et elles n'avaient jamais pensé à cela avec Clara : le mal qu'elles aussi pouvaient lui faire, cette violence, encore.

— Pardonnez-moi, dit-elle en remettant la lettre dans son sac.

Isabelle regardait toujours au-dehors, ses doigts maintenant figés sur l'alliance presque enfoncée dans la chair. Sa bouche tremblait un peu, son menton se froissait, elle semblait buter sur quelque chose. Enfin, elle parla.

— Pourquoi elle est pas venue ?

Il n'y avait pas de regret dans sa question, un peu de méfiance, peut-être.

— Elle est malade. Une dépression nerveuse. Un mot de vous pourrait l'aider, je crois.

— Moi, les mots, je les connais guère.

Élisabeth s'en voulut. Elle ne s'approchait pas d'une vérité, elle restait loin, loin de ces années violentées, destructrices. Elle ne se rapprochait pas de cette femme apparemment si simple. Au fond d'elle-même, écartelée.

— Alors, si j'ai bien compris... elle s'appelle Clara Mercier ? C'est bien ça ?

Non. Non, vous avez mal compris, elle n'est pas l'héritière de ce nom-là, la représentante de ces hommes-là. Elle est... Elle est Clara. Juste un prénom.

154

— Clara Mercier ? Comme celle de la radio ?

Sur le moment Élisabeth ne comprit pas. Le mot « radio » ne s'accordait pas à l'histoire, n'avait rien à voir avec la situation... et puis elle réalisa soudain. Clara Mercier ! La journaliste, la jolie voix dans le poste ! Bien sûr !

— Bien sûr ! C'est elle. Oui, c'est elle. Celle de la radio.

— Elle parle bien.

Était-ce un compliment ? Ou était-ce le fossé qui se creusait un peu plus, entre celle qui ne connaissait guère les mots et celle qui parlait bien ?

— Elle est belle Clara, vous savez, aussi belle que sa voix est douce.

— Ma vie à moi, elle a pas été belle.

Élisabeth se tut. Elle était face à un être brûlé au troisième degré et qu'elle ne pouvait effleurer sous peine de déclencher d'horribles souffrances. Y avait-il une parcelle de peau intacte dans cette vie bousillée ? Isabelle regardait toujours au-dehors, et Élisabeth pensa au père de Clara, à son fauteuil près de la fenêtre, ces êtres malmenés qui s'étaient assis pour toujours.

— Je n'ai pas vu l'enfant. C'est Mariette qui m'a accouchée. Elle m'a dit que c'était un garçon et puis elle l'a emmené. Elle l'a rendu... Les gens, ils ont cru que j'avais quitté L'Isle. Les gens... ils auraient bien voulu que je parte, ça oui. Je me suis cachée. Ici. Chemin des Hors. Après la Libération, je suis retournée à la manufacture de tapis. Lucien...

La vieille dame se mit à tousser. Ses mots se brisaient, à peine prononcés. Ses yeux pleurèrent un peu. Elle sortit un mouchoir de sa manche et se moucha bruyamment. La toux ne se calmait pas. Elle était rauque, convulsive. Élisabeth se leva pour chercher de l'eau, des verres séchaient près d'un évier en terre, mais Isabelle ne prit pas celui qu'elle lui tendait – ou plutôt Isabelle ne *vit* pas celui qu'elle lui tendait. Elle était aveugle. Et ce fut Mariette qui prit le verre des mains d'Élisabeth pour le mettre dans celle de sa sœur.

— Vous devez partir maintenant, dit-elle, calme, sans appel. Vous savez, quand on a perdu l'honneur, on a tout perdu. Même son fiancé n'a plus voulu d'elle.

— Ne dis pas ça ! La respiration d'Isabelle était désordonnée encore, bouleversée par la quinte.

— Il a tué le milicien pour ne pas la tuer elle, c'est idiot vous savez, parce qu'elle, morte, elle l'était déjà, alors...

Et elle désigna la porte.

Ainsi, c'était tout. C'était tout et c'était rien. Le malheur ne faisait pas de bruit, il était plié sur lui-même, inaccessible aux autres. Isabelle avait fermé les yeux à la naissance de son fils, elle était aveugle pour sa petite-fille... pourtant... « Ne dis pas ça ! »

Elle avait contredit sa sœur.

« Ne dis pas ça ! »

Quelle était la véritable histoire d'Isabelle et de Lucien ? Tous ces secrets, ces interdits bravés, ces plaisirs volés, dans la vie d'une femme... Qui saurait jamais les souvenirs de la vieille aveugle à sa fenêtre ?

Élisabeth était de nouveau sur la berge... si peu de temps s'était écoulé. La jeune fille au landau était assise sur un banc, il y avait deux traces blanches d'avion dans le ciel si bleu. C'était fini. Mariette avait poussé le verrou. Ce verrou qu'avait fait sauter, un soir de beuverie, un milicien déchaîné.

L'Isle n'existait plus.

L'espoir de L'Isle n'existait plus.

Il faudrait dire à Clara ce que c'était, ici. Des maisons basses. Des ruelles perdues. Des roues à aubes inutiles. Des ponts de quelques pas.

Et ce ciel inflexible, ce regard géant au-dessus de la ville.

Mais la porte s'est ouverte. Encore. Ça recommençait : Élisabeth dans la lumière, la vieille dame dans l'ombre. Elle ne l'invitait pas à entrer. Elle était sur le seuil de sa maison ancienne, gardienne immuable, statue familière.

— C'est Isabelle qui veut. Pas moi. Elle dit que c'est pour Clara. Prenez-la et ne revenez plus.

Elle a tendu la main.

Élisabeth a ouvert la sienne, en retour. L'autre y a déposé l'alliance d'un coup sec, et la porte s'est refermée. Et le verrou. Plus fort, cette fois-ci. Un bruit pour renvoyer. Pour chasser.

Élisabeth a quitté la berge. Le landau. Les algues fines. Les arbres penchés.

Elle a marché vers l'hôtel. Le chemin des Hors s'est enfoncé dans le passé.

Elle s'est arrêtée un moment pour regarder l'anneau. À l'intérieur, une date ancienne : 1920. Une date d'avant la Milice, une date heureuse peut-être que Clara garderait contre sa peau.

Mais elle ne dirait pas l'alliance au téléphone. Elle ferait comme Mariette, elle tendrait la main. Elle avancerait l'objet sans l'annoncer.

Elle a marché sur la route ombragée. Elle le savait depuis toujours et le ressentait pour la première fois, c'était presque un vertige : dans une vie, seules quelques personnes nous sont essentielles, seules deux ou trois choses sont importantes, le reste est une illusion, un peu de bruit, une peur bleue de la mort. Elle le sentait jusque dans sa chair, c'était enivrant, d'une intensité presque insupportable. Elle avait perdu trop de temps, trop d'elle-même dans des soucis mineurs, des angoisses dérisoires, des liaisons superficielles et des amours mal assemblées.

Mais aujourd'hui, à L'Isle-sur-Sorgues, elle avait vécu.

Aujourd'hui, elle était elle-même.

Et elle avait envie d'y aller. Dans cette vie. Ouverte. Pleine.

Faite pour elle.

8166

Composition Nord Compo
Achevé d'imprimer en France (La Flèche)
par CPI Brodard et Taupin
le 10 octobre 2010. 60205
EAN 9782290347775
1ᵉʳ dépôt légal dans la collection : octobre 2006

Éditions J'ai lu
87, quai Panhard-et-Levassor, 75013 Paris
Diffusion France et étranger : Flammarion